KLE



# LA MARQUISE D'O...

Le tremblement de terre du Chili
Les fiancés de Saint-Domingue
La mendiante de Locarno
L'enfant trouvé
Sainte Cécile ou la puissance de la musique
Le duel

*Traduction de*
*M.-L. Laureau*
*et*
*G. La Flize*

*Introduction*
*par*
Antonia FONYI

GF Flammarion

*La littérature allemande*
*dans la même collection*

BÜCHNER, *La Mort de Danton. Léonce et Léna. Woyzeck. Lenz.*

FONTANE, *Cécile.*

GOETHE, *Les Affinités électives. — Écrits sur l'art. — Faust* (traduction de Gérard de Nerval). — *Faust I et II* (traduction de Jean Malaplate). — *Les Souffrances du jeune Werther.*

GRIMM, *Contes* (deux volumes).

HOFFMANN, *Contes fantastiques* (trois volumes). — *Princesse Brambilla.*

HOFMANNSTHAL, *Électre, Le Chevalier à la rose, Ariane à Naxos* (édition bilingue).

HÖLDERLIN, *Hymnes, Élégies.*

KAFKA, *Amerika ou le Disparu. — Le Château. — Dans la colonie pénitentiaire et autres nouvelles. — La Métamorphose. Description d'un combat. — Le Procès. — Un jeûneur et autres nouvelles.*

KLEIST, *La Marquise d'O... — Michel Kohlhaas. —Le Prince de Hombourg.*

LESSING, *Nathan le Sage* (édition bilingue).

MEYRINK, *Le Golem.*

NOVALIS, *Henri d'Ofterdingen.*

RILKE, *Les Cahiers de Malte Laurids Brigge. — Les Élégies de Duino. Les Sonnets à Orphée* (édition bilingue). — *Lettres à un jeune poète et autres lettres.*

TRAKL, *Poèmes I* et *II* (édition bilingue).

WAGNER, *La Tétralogie* (édition bilingue) : *L'Or du Rhin. — La Walkyrie. — Siegfried. — Le Crépuscule des dieux.*


ISBN : 978-2-0807-0586-0

# INTRODUCTION

Dans une citadelle assiégée, une dame fuit devant la soldatesque. Un officier la sauve : il tombe furieusement sur la bande bestiale, la faisant reculer jusqu'au dernier qui, frappé au visage par la poignée du sabre du sauveteur, s'écroule en crachant le sang à pleine bouche. La dame perd connaissance. Alors l'officier la viole. Il l'aimera d'un « immense amour » (p. 59).

La brutalité de Kleist a l'impact cathartique des immenses amours, des amours « extraordinaires » — tel est le sens littéral du terme employé par l'officier — qui, par leur démesure, mettent en question l'ordre établi. Elle est l'expression du désir intact, pur, qu'aucune crainte ne ternit, qu'aucune réflexion ne paralyse ; du désir intègre, vierge, brut. C'est la confrontation à cette terrible pureté qui provoque la catharsis. L'officier est tout aussi bestial que les soudards qui, vaincus par sa rage, lui cèdent leur proie : nous sommes tous des brutes. La civilisation, en nous le faisant oublier, a porté atteinte à notre capacité d'immense amour. Pour la recouvrer, il faut donc nous confronter à la vérité.

La confrontation elle-même est brutale. Elle est inévitable, imposée par la clarté drastique du texte, et elle est sans ménagement, parce que immédiate toujours, provoquée, au théâtre, par les propres paroles de ceux que l'immensité de leur amour projette en dehors des voies trop humaines, et, dans les récits, par les faits bruts, narrés sans commentaires, sans filtre moralisateur ou psychologique. Le choc est infaillible. Le lecteur n'a aucune échappatoire, aucune protection, parce que l'auteur est sans complaisance : la brutalité de l'écriture de Kleist est intégrité éthique.

Une préface qui s'interpose entre le lecteur et une telle œuvre risque d'en fausser les effets en amortissant le choc. Si elle peut avoir une raison d'être, c'est seulement dans la mesure où elle va à l'encontre des défenses accumulées pendant près de deux siècles, ne serait-ce qu'en s'efforçant de dégager les textes de Kleist des enveloppes protectrices des explications. Je me bornerai donc à indiquer quelques chemins qui peuvent conduire au cœur violent des récits : à présenter quelques variations sur la brutalité.

*Le vécu : histoires de déréliction*

Lorsqu'il demande, mettant « [son] cœur à genoux[1] », que Goethe accueille *Penthésilée*, Kleist rencontre un refus éclatant : le grand prêtre de la santé, de la beauté conçue comme harmonie de la nature et de la culture dans les œuvres et les âmes, jette l'anathème sur une littérature dont il ne perçoit que l'aspect pathologique. Mais Kleist n'est pas moins aveugle en lui adressant une tragédie dont l'héroïne lâche les chiens sur son bien-aimé pour le dévorer ensuite elle-même, par amour. L'attente insensée d'un jugement favorable de Goethe ne s'explique que par le désir de Kleist, si impérieux qu'il passe outre à toute considération réaliste, d'une consécration qui intègre son œuvre dans la littérature de son temps. Par sa puissance même, ce désir barre le chemin de son

1. Lettre à Goethe, 24 janvier 1808. *Correspondance, 1793-1811*, traduction de Jean-Claude Schneider, Paris, Gallimard, 1976 (*Corr.* par la suite), p. 349.

propre accomplissement, et la nécessité de l'échec est si patente qu'on se demande s'il n'a pas été recherché. Si l'intégration n'eût pas été incompatible avec l'idéal d'intégrité que Kleist s'était condamné à poursuivre.

Cette intégrité, nous insistons, est celle du désir qui, quelles qu'en soient les conséquences, doit sauvegarder son intensité primitive. Que Goethe renvoie avec raison à la nature pathologique d'une telle intensité, n'empêche pas que celle-ci soit à la source d'une création littéraire unique. D'une création solitaire, puisqu'elle oppose Kleist non seulement à Goethe, mais l'éloigne en même temps des romantiques qui, bien que nombre d'entre eux aient entretenu avec lui des rapports de sympathie — Arnim, Brentano, La Motte-Fouqué, et aussi Tieck, son éditeur posthume, ou Hoffmann qui, dans *Les Frères Sérapion,* donne comme modèle du conte fantastique *La Mendiante de Locarno* —, ne pouvaient pas le considérer comme étant des leurs. Seul Jean-Paul, cet autre solitaire, l'accueille avec enthousiasme aussitôt qu'il le découvre, en citant *La Famille Schroffenstein,* la première pièce de Kleist, dans son *Introduction à l'esthétique.* Et seul Wieland, dont le regard de patriarche discerne l'avenir en gestation, salue dans les premiers fragments qu'il entend, le génie incomparable : « Si l'esprit d'Eschyle et ceux de Sophocle et de Shakespeare se réunissaient pour créer une tragédie, elle serait comme cette *Mort de Guiscard le Normand* [...] que Kleist m'a fait écouter. [...] Kleist est né pour combler la grande lacune dans notre littérature que, à mon avis du moins, Goethe et Schiller eux-mêmes n'ont pas encore remplie [1]. »

Kleist, sans toit, sans ressource, séjourne chez Wieland à l'époque où il travaille à *Robert Guiscard.*

1. Lettre de Wieland au Dr Georg Wedekind, 10 avril 1804, dans Helmut Sembdner : *Heinrich von Kleists Lebensspuren. Dokumente und Berichte der Zeitgenossen,* Bremen, Schünemann, 1967, p. 75-76.

Au bout de deux mois, il détruit cette sécurité, s'oblige à s'arracher à l'affection, à la joie d'être reconnu, pour se retrouver en état de déréliction : « Il fallait que je parte, et je ne peux te dire pourquoi ? J'ai quitté avec des larmes cette maison où j'ai trouvé plus d'amour que le monde entier n'en peut fournir. [...]. Oh ciel, quel monde est le nôtre ! / J'ai passé les jours suivants dans une auberge de Weimar et je ne savais pas du tout vers quoi me tourner. Ce furent de bien tristes jours[1] ! » Il s'arrache à l'amour, à la reconnaissance, à la joie de l'espoir pour se retrouver en état de déréliction. Suivent de longs mois d'errance, au bout desquels il brûle la pièce terminée : « Le destin, qui attribue à chaque peuple sa mesure de culture, a décidé, je pense, de ne pas porter encore l'art à maturation sous les climats du Nord. Il serait en tout cas insensé de *ma* part de vouloir vouer plus longtemps mes forces à une œuvre qui, je dois en convenir, est trop difficile pour moi. Je m'efface devant quelqu'un qui n'est pas encore né et, un millier d'années à l'avance, je m'incline devant son esprit. Car, dans la série des découvertes humaines, celle que j'ai imaginée est sans erreur un des maillons de la chaîne, et une pierre quelque part est déjà prête pour dresser un monument à celui qui la fera connaître un jour[2]. » Infidèle à sa grande vocation, Kleist s'exclut de l'humanité. Il recherche la mort ardemment, follement, s'obstinant à s'engager, lui, ancien officier prussien, dans l'armée de Napoléon. Ses tentatives échouent. Alors c'est l'effondrement, une autre forme de mort, un vide de six mois dans sa vie. Puis cela recommence, suivant le même rythme, le même mouvement contradictoire du désir d'intégration et de l'impératif de déréliction.

La vie de Kleist n'explique pas, bien sûr, son

1. Lettre à Ulrike von Kleist, 13 (et 14 mars) 1803, *Corr.*, p. 274-275.

2. Lettre à Ulrike von Kleist, 5 octobre 1803, *Corr.*, p. 280-281.

œuvre. Mais, telle du moins qu'elle apparaît dans ses lettres — Helmut Sembdner qui, pendant le dernier demi-siècle, a fait le plus pour la cause de Kleist, a proposé de remplacer *L'Histoire de ma vie*, perdue [1], par le témoignage de la correspondance [2] —, cette vie est le paradigme le plus éclairant de l'œuvre, à partir duquel on peut interroger celle-ci immédiatement, sans faire appel à des théories pare-feu. Quelques autres faits, donc, pour étayer l'interrogation.

Kleist fut, pour lui-même, « un être *inexprimable* [3] ». Son existence, selon tous ceux qui ont cherché à en pénétrer le mystère, est un enchaînement de crises. La première est sa rupture avec l'armée. Issu d'une famille qui a donné vingt maréchaux et généraux à la Prusse, c'est à une tradition fondatrice d'identité, à une intégration à l'histoire prussienne elle-même, assurée dès et par sa naissance, qu'il s'arrache en donnant sa démission. Il le fait pour trouver « le sûr chemin du bonheur [4] », pour devenir lui-même en se cultivant. C'est son intégrité qu'il veut sauver, espérant encore — il a vingt-deux ans — qu'elle est compatible avec l'intégration dans la communauté : il projette d'entrer au service civil de l'Etat ; il se fiance, résolu à fonder une famille. Mais il se déclarera bientôt inapte à exercer un emploi, incapable de servir des desseins qui ne sont pas les siens [5]. Par là même, sans qu'il en prenne conscience encore, le projet de mariage est condamné aussi. Les ponts sont coupés.

La deuxième crise est plus violente. C'est celle que

1. Sont perdus *L'Histoire de ma vie*, le *Magazin d'idées*, le *Journal* : tous les écrits intimes.

2. Helmut Sembdner : *Geschichte meiner Seele, Ideenmagazin, das Lebenszeugnis der Briefe*, Bremen, Schünemann, 1959.

3. Lettre à Ulrike von Kleist, 13 (et 14) mars 1803, *Corr.*, p. 274.

4. L'*Essai pour trouver le sûr chemin du bonheur* (1799) se présente comme un « plan de vie », mais sa fonction essentielle est de justifier la démission de Kleist de la carrière militaire.

5. Cf. la lettre à Ulrike von Kleist du 5 février 1801.

la critique appelle la « crise kantienne ». La reconnaissance fulgurante de l'impossibilité d'accéder à la vérité par la raison prive de leur sens toutes les connaissances scientifiques que le jeune homme a accumulées par de ferventes études. Cette fois, l'état de déréliction est manifeste : sa vie, déclare Kleist, n'a plus de but, et il n'espère en trouver un qu'en entreprenant un voyage à l'étranger, une errance sans limites et, par définition, sans but. Mais il n'a pas encore perdu toute attache. Arrivé au pays de Rousseau, il projette d'y acheter une terre pour la cultiver et vivre du fruit de son travail : « les actes les plus agréables à Dieu, [ce sont] de faire un enfant, labourer un champ, et planter un arbre[1] ». Sa fiancée refuse la vie paysanne. Alors elle est congédiée, en même temps que se dissipe aussi le rêve de l'idylle économique. Pas de terre, pas de famille, pas d'amour, plus de possession — « dans un an, je serai vraisemblablement tout à fait démuni[2] » —, ni de dépendance sous aucune forme. « Chère fille, ne m'écris plus. Je n'ai d'autre désir que de mourir bientôt[3]. » Kleist s'enferme dans une île, habitée seulement par une famille de pêcheurs. Dans la déréliction complète, la vocation d'écrivain peut enfin prendre naissance : la vérité qui se dérobe à la science, se laisse approcher par la littérature, par l'individu solitaire qui n'est plus que sujet pur — il a perdu ses objets et s'est perdu pour les autres —, prêt à assumer *sa* vérité, la seule qui soit solide parce que son fondement est l'intégrité de celui qui la profère.

Après, c'est une maladie grave, longue, un effondrement. Rétabli, Kleist recherche, de nouveau, la société : c'est alors qu'il séjourne dans la maison de Wieland, qui est un des centres littéraires de l'époque.

1. C'est le texte des *Lettres persanes* (lettre 119) que Kleist reprend presque mot à mot dans sa lettre à Wilhelmine von Zenge du 10 octobre 1801.

2. Lettre à Wilhelmine von Zenge, 20 mai 1802, *Corr.*, p. 270.

3. *Ibid.*

Puis, une nouvelle crise. Puis d'autres crises, d'autres montées d'espérance, d'autres fuites, ruptures, courses folles à travers des villes, des pays, vers le néant. On ne les évoquera pas : elles se répètent, toujours pareilles, jusqu'à la dernière où c'est à la vie elle-même, à l'humanité entière que Kleist s'arrache, jubilant d'espoir d'être accueilli dans la communauté des anges. Cette unique fois, il est accompagné, il meurt avec une femme.

Pourquoi ces arrachements, ces ruptures brutales ? ces fuites insensées devant l'accomplissement du désir ? Ce ne sont pas les événements de la vie de Kleist qu'on voudrait expliquer — un banal diagnostic de cyclothymie y suffirait —, mais l'œuvre qui s'y reflète comme dans un miroir inversant : là où Kleist recule, son héros va de l'avant ; là où l'un fuit, l'autre fait intrusion, s'impose, prend, détruit, aime. L'immense amour, « un tourbillon de bonheur jamais connu », n'apparaît dans les lettres de Kleist qu'une seule fois, à la fin ; il est le privilège d'une femme qui veut mourir avec lui, de sa main : « sa tombe m'est plus douce que le lit de toutes les impératrices du monde [1] ». Kleist, probablement, est mort vierge. Au centre de chacune de ses œuvres se trouve un viol.

*La fiction : histoires de viol*

Dans le palais qu'entoure la citadelle assiégée, le comte F... viole la marquise d'O..., la fille du commandant. En sortant, il rencontre celui-ci qui se retire avec ses troupes vers l'entrée, et, comme « la place [a été] entièrement conquise » (p. 47) entre-temps, il lui crie de se rendre. L'autre lui remet aussitôt son épée, en demandant la « permission » d'aller voir « ce qu'[est] devenue sa famille » (p. 47).

Ce fut facile, comme dans un rêve : prendre la femme, c'était prendre la citadelle. Pourtant, rêve et

1. Lettre à Marie von Kleist, 21 novembre 1811, *Corr.*, p. 431.

réalité ne se confondent jamais chez Kleist. La marquise, qui se croit d'abord enceinte d'une chimère dont Morphée seul pourrait être le père (p. 51), se heurtera aux lourdes réalités du corps, de la famille, de la société. Le comte aussi devra apprendre qu'il n'est pas possible d' « emporter d'assaut le cœur des dames comme une forteresse » (p. 56). Car, contrairement aux apparentes évidences, la conquête de la citadelle ne se laisse pas assimiler à celle de la femme.

La citadelle importe moins que la femme. Conformément à « l'ordre de défendre la place » (p. 45-46), le commandant, dès l'assaut, signifia à sa femme et à sa fille qu'il « se comporterait désormais comme si elles n'étaient pas là » (p. 46). Mais il « n'avait attendu que [la] sommation [de se rendre] » (p. 47), afin que, libéré de sa fonction de chef militaire, il pût assumer de nouveau ses devoirs de chef de famille. La passation des pouvoirs se déroule, en effet, avec la courtoisie conventionnelle entre personnes traitant d'une affaire qui ne semble pas les engager : le commandant en chef des troupes ennemies assure celui de la citadelle de sa « haute estime » et de son regret que « la chance n'eût pas mieux secondé son courage » (p. 48). Aucune blessure donc, pas de changement destructeur. En revanche, le viol de la marquise blesse profondément l'honneur et l'amour paternels, et entraîne la destruction de la famille. La fille est chassée de la maison ; lorsqu'elle implore le pardon du père, celui-ci répond par un coup de pistolet et par l'exigence de retenir ses petits-enfants que leur mère est devenue indigne d'éduquer ; la marquise fuit, arrachant ses enfants à la maison familiale. Voici la véritable guerre : attaque à main armée d'un père contre sa fille, « révolte » et « victoire » de celle-ci, fière du « butin » que sont devenus ses propres enfants (p. 70). La femme du commandant est déchirée entre son devoir d'épouse et sa sollicitude maternelle, et le frère de la marquise est réduit au rôle du messager que personne n'écoute. La famille est divisée, dispersée, détruite. La cause n'en est pas la défaite de la citadelle, mais le viol de la fille.

C'est partout le même rapport de cause à effet. Dans *L'Enfant trouvé,* Nicolo tente de violer Elvire, la jeune et chaste épouse de son père adoptif. La tentative suffit : la victime en meurt, le père tue l'agresseur, et lui-même finit au gibet. Dans *Les Fiancés de Saint-Domingue,* Gustave von der Ried prend Toni par surprise ; elle ne se défend pas, s'éprend même du jeune homme ; mais son amour l'oblige à trahir les siens ; la suite sera confusion tragique, enfants pris en otage, meurtre, suicide. Ce n'est que la réputation de Littegarde von Auerstein, héroïne du *Duel,* que Jacob Barberousse viole en déclarant avoir passé une nuit dans les bras de la dame. Il a été dupé par une femme de chambre qui s'est donnée pour sa maîtresse. Mais la déclaration tue le père de Littegarde, et elle-même sera chassée, les chiens à ses trousses, du château familial. Qui plus est, prise dans un enchevêtrement d'erreurs et de vérités improbables, elle finira par subir le viol en imagination : affaissée sur la paille de sa prison, « la poitrine à demi découverte et les cheveux épars » (p. 235) — portrait de femme après viol —, elle assumera la souillure par des paroles délirantes. La mendiante au château de Locarno est violée aussi, le texte révèle cet incident dont l'auteur refuse de prendre conscience : un homme fait irruption dans une pièce où une femme est couchée ; il lui ordonne, sans aucune explication, d'aller derrière le poêle — parce qu'elle y sera cachée, il ne peut y avoir d'autre raison ; mais devant qui ? devant une tierce personne qui risquerait d'entrer ? ou devant le marquis lui-même qui ne supporte pas la vue d'une vieille femme malade ? cela revient au même, la deuxième hypothèse n'étant qu'une dénégation de la première ; elle tombe, « se [blesse] dangereusement aux reins » et meurt, « gémissant et soupirant » (p. 161). Le narrateur omet de rendre compte des faits et gestes de l'homme pendant la scène. Mais lorsque, des années plus tard, le souvenir de l'incident réapparaît, l'agresseur met le feu au château qui en fut le théâtre, et, pendant que sa femme fuit affolée, il périt dans les flammes. Dans *Le Tremblement de terre du Chili*, Josephe Asteron se donne à Jeronimo Rugera par amour ; ce n'est pas elle qui est violée, mais l'enceinte sacrée où son amant la rejoint, le couvent de Notre-Dame de la Montagne : c'est parce que leur enfant fut conçu en ce lieu que la vue du couple provoque la colère de la foule, qui s'abat non seulement sur eux, mais sur des personnes qu'on prend pour eux et sur un enfant qu'on prend pour le leur. Dans la confusion générale, un cri s'élève : « Celui-là, c'est Jeronimo Rugera, citoyens, car c'est moi son père ! », et Jeronimo est étendu mort, d'un terrible coup de massue (p. 111). Ce père n'apparaît dans le récit qu'à ce seul moment : il n'a d'autre fonction que de tuer son fils. Dans *Sainte Cécile ou la puissance de la musique*, un couvent de nonnes est désigné explicitement comme l'objet de l'agression projetée par les protestants qui veulent donner à la ville « le spectacle du massacre d'images sacrées » (p. 193). Les malfaiteurs seront paralysés par la puissante beauté d'un oratoire dirigé par sainte Cécile elle-même. C'est une « légende », précise le sous-titre : l'absence du viol tient du miracle dans l'univers de Kleist.

La guerre, c'est dans les familles violées. Quant à la guerre réelle, ambiante, c'est comme si elle n'était qu'un décor, moins, qu'une disposition de coulisses, permettant aux personnages de sortir et de reparaître sur la scène. Après la reddition de la citadelle, le commandant déménage dans une maison de ville. Lorsque le comte, un officier ennemi, demande la main de sa fille, aucune considération politique ou nationale ne pèse sur sa décision. Et lorsque le prétendant préfère courir le risque d'une cassation pour hâter le mariage, le futur beau-père lui persuade de respecter les impératifs du service, celui de l'ennemi. C'est conté sans ironie. Ce n'est pas non plus une critique de la mentalité militaire, encore moins un cliché prussien. C'est bien plus grave : nous sommes égaux devant la guerre. La citadelle sera prise, reprise, reperdue, qu'importe. Nous sommes réduits à nos destins d'individus, et c'en est fait de nous.

C'est la guerre « de... », dans *La Marquise d'O...* (p. 45) : n'importe laquelle, *la* guerre. Toutes les nouvelles de Kleist se déroulent sur fond de catastrophe. Peste, tremblement de terre, protestantisme iconoclaste, révolte des esclaves. Les catastrophes naturelles et sociales ou politiques se valent parce que celles-ci sont aussi destructrices que les forces aveugles de la nature, tandis que celles-là entraînent les mêmes désordres meurtriers dans la société que les violences jaillies de son propre sein. C'est l'histoire contemporaine qui est en cause, bien sûr : la guillotine de Strasbourg et la révolte des Noirs d'Haïti datent du passé proche — Kleist est prisonnier en 1807 au fort de Joux où est mort en 1804 Toussaint-Louverture ; l'idylle sociale, mais aussi le massacre des innocents par la populace que provoque le tremblement de terre, rappellent des scènes de la Révolution. Quant à la guerre « de... », c'est celle de la deuxième coalition qui a amené, en effet, des troupes russes en Italie du Nord [1]. Plus de frontières, plus de barrières sociales, plus de traditions, plus de stabilité. Les villes s'effondrent, les cathédrales sont mises en pièces, les esclaves s'installent dans les maisons de leurs maîtres assassinés. Ou, simplement, on déménage de la citadelle. Cela revient au même. Devant les coulisses en flammes, c'est la même tragédie qui est toujours représentée : la destruction de la famille, de la dernière unité qui restait encore intacte dans la débâcle. Du dernier abri d'où l'humanité pouvait encore renaître à la paix et à la prospérité.

Simultanées, la chute de la citadelle et la chute de la marquise ne sont pas équivalentes. Mais si le comman-

1. Cf. la notice de *La Marquise d'O...*, p. 43.

dant avait pu défendre la citadelle, il aurait défendu sa fille aussi. Seulement, les pères sont faibles chez Kleist. Dans *Emilia Galotti* de Lessing, le père a tué sa fille violée. Chez Kleist, qui, de toute évidence, se souvient de cette scène en écrivant *La Marquise d'O...*, le pistolet de M. de G... — G, comme Galotti — se décharge, par hasard, avant qu'il ne le tourne vers sa fille, et la balle perce le plafond. Il aime trop sa fille, peut-être, pour vouloir sa mort. Le fier Don Henrico Asteron ne veut pas non plus que la sienne meure, mais ni son autorité ni ses grandes relations ne suffisent pour sauver Josephe de la condamnation à mort. Le père de Littegarde, malade, vieux, meurt en apprenant la calomnie dont il devrait laver la réputation de sa fille, et le bailli du couvent Sainte-Cécile, un vieillard lui aussi, déclare, dès qu'il est averti du danger, qu'il est impuissant à défendre les religieuses. Ce sont des pères aimants, tendres, affaiblis par l'âge — même Hoango, qui se dit pourtant rajeuni dans le carnage, se laisse aveugler par sa tendresse pour Toni —, et affaiblis, surtout, par la paix d'une vie familiale qu'ils croient immuable. Confiants dans l'ordre d'une civilisation ancestrale, ils sont sans défense devant la catastrophe, devant les forces brutales qu'elle libère et les brutes qu'elle lâche sur leurs filles.

Car les guerres, les révolutions, les épidémies, les tremblements de terre, ce sont aussi des migrations de hordes, de sans-abri, de sans famille, traversant un monde où il n'y a plus de frontières. Des Russes arrivent en Italie, des « Asiates » (p. 48), des barbares. Parmi eux, six soudards — dont un officier, riche, noble, d'excellentes manières, parlant français avec les dames — qui s'emparent de la marquise. Le comte maîtrise les autres, non parce qu'il est leur supérieur, mais parce qu'il est le plus fort, capable de lutter seul contre cinq, de les disperser à « coups furieux » assenés en plein visage, leur faisant cracher du sang (p. 47). Il est le plus brutal de la « bande bestiale » (p. 47), donc c'est lui qui aura la femme.

Tous sont transformés en bêtes par la violence des temps. Nicolo, un jeune garçon de onze ans, perd subitement ses deux parents et risque de mourir lui-même parmi les pestiférés ; l'épreuve était trop rude, les instincts auxquels elle a fait appel se tourneront contre la femme chaste qui tente de les freiner. Gustave, un doux Suisse qui rêve de bonheur champêtre, prend, par surprise, la virginité d'une jeune fille dans la maison où il a trouvé un abri ; chassé de chez lui, traqué, en danger mortel à tout instant, c'est la peur qui domine ses actes ; sorti des bras de Toni, sa première pensée est qu'il est « sauvé » parce que, dans cette maison inconnue, il y a désormais une personne de qui il n'a « rien à redouter » (p. 134) : dans les pires extrémités, la panique devient calculatrice. C'est par calcul aussi, mais savamment réfléchi, que Jacob Barberousse déshonore Littegarde. Déclarant qu'il a passé chez elle la nuit de la Saint-Remi, il réfute l'accusation d'avoir tué son frère cette même nuit. A l'arrière-plan de cette histoire, il n'y a ni catastrophe naturelle ni bouleversement social qui eût réveillé la méchanceté cruelle de Barberousse ; c'est qu'elle est tenue constamment en éveil dans l'univers de la féodalité où, comme le montrent aussi *La Petite Catherine de Heilbronn* ou *La Famille Schroffenstein*, tous vivent en état de guerre entre châteaux voisins, entre frères ennemis. L'empereur n'est pas assez fort pour imposer la paix et la justice. Il s'en remet donc à Dieu. Mais Dieu, qui laisse l'humanité se débattre dans les épidémies et les révolutions, ne protège l'innocente que « si telle est [sa] volonté » (p. 247).

C'est un homme puissant qui arrive donc sur la scène, fort de toute son énergie instinctuelle — biologique, bestiale —, libérée par l'explosion de l'ordre. Son énergie de guerrier ou de victime luttant pour la survie est prête à se muer à tout moment en désir sexuel : à la vue de la marquise, les soldats « s'arrêtèrent court, mirent l'arme à l'épaule et l'entraînèrent » (p. 46). Jacob Barberousse désire depuis longtemps Littegarde; depuis longtemps aussi, il désire la mort de son frère, le duc régnant, pour accéder au trône. Il satisfait ses deux désirs en même temps : peu importe l'enchevêtrement des motivations, c'est la coïncidence qui est significative. Le châtelain de Locarno rentre de la chasse, les mains chargées de fusils, lorsqu'il aperçoit la mendiante alitée; il lui commande aussitôt de se mettre derrière le poêle; elle s'affaissera « gémissant et soupirant » (p. 161) : la soudaineté de l'impulsion du personnage ne laisse pas à l'auteur le temps de chercher des explications. Jeronimo aime Josephe, bien avant que le tremblement de terre ne renverse l'ordre social. Mais la Révolution avait des signes avant-coureurs : *La Nouvelle Héloïse* en fut un; Jeronimo est précepteur dans la famille Asteron. Contrairement à Saint-Preux, cependant, il veut sa « pleine félicité » et l'obtient, quitte à violer l'enceinte d'un couvent. Chez Kleist, seule la paralysie du corps peut empêcher le passage à l'acte.

Jeronimo est précepteur, fils d'un compagnon du cordonnier qui ameute la populace : un subalterne dans la société des Asteron, un intrus, du moment qu'il veut une place dans la famille. Son intrusion divisera celle-ci en opposant père et fille. C'est partout le même schéma : intrusion — inévitable, puisque tous sont à la recherche d'une place : Nicolo est sans famille, Gustave sans abri, Jacob Barberousse sans autre refuge devant la loi que la couche de Littegarde —, réalisée par le viol, ayant pour conséquence la destruction de la famille dont l'unité repose sur l'entente entre père et fille.

C'est la fille qui est violée, toujours. La marquise, veuve, a quitté sa propriété pour s'installer chez son père. Littegarde aussi est une veuve qui habite sous le toit paternel. La jeune Elvire Parquet, deux ans après la mort de son bien-aimé — après le temps réglementaire du deuil —, épouse Piachi, un veuf âgé de qui elle n'espère pas avoir d'enfants : elle vit chez lui vierge, comme une fille chez son père. Les nonnes sont de saintes filles, épouses vierges du Christ. La marquise mène « l'existence la plus retirée » (p. 45), Littegarde est sur le point d'entrer au couvent. A la différence des épouses, les filles sont soustraites au désir des pères : elles leur sont sacrées, ils les vénèrent. Violer une fille est une impiété dont seul un païen, un barbare, une brute peut se rendre coupable.

Violer la fille, c'est porter atteinte au père. Les pères, chez Kleist, sont fiers de leurs filles, de leur pureté, de leurs perfections. Non qu'ils veuillent en réserver la jouissance pour eux-mêmes. Littegarde ne se rend aux fêtes que sur les instances de son père qui souhaiterait la voir remariée, Toni est exhortée, afin d'attirer les Blancs au piège meurtrier de Hoango, à ne leur refuser « aucune démonstration de tendresse » (p. 118). A l'exception, toutefois, de « la dernière, qui lui était interdite sous peine de mort » (p. 118) : une fille pure est le trésor du père.

La pureté de la fille, c'est, bien sûr, l'honneur du père, la preuve de sa puissance de faire respecter l'objet interdit pour lui-même. Mais les recluses de Kleist ne sont pas des Vestales. La marquise fuit la soldatesque ses enfants dans les bras, Josephe meurt pour protéger son enfant conçu au couvent, et même Toni, qui n'est pas mère, surgit tenant un enfant, celui de Hoango qu'elle a pris pour otage pour sauver la famille de son fiancé. La volonté des iconoclastes est paralysée par le *Salve Regina*. La Salvatrice, la Reine de la pureté, le modèle de toutes ces femmes vénérées par leurs pères est la Madone de la Sixtine.

Lorsque, après la « crise kantienne », Kleist part à la recherche d'un but, il découvre à Dresde la beauté, la jouissance qui ne fait pas appel à la raison, mais aux sens et au cœur. C'est là que, raisonneur encore, il demande à un jeune peintre si, à vingt-six ans, il n'est pas trop tard pour se consacrer à l'art : c'est alors, peut-on supposer, que germe sa vocation. Il reste, des heures durant, devant le tableau de Raphaël, « devant cette mère de Dieu, d'une profonde gravité, d'une calme grandeur[1] », « d'une pureté angélique[2] ». Devant cet être « adoré[3] ». « Adoré » : *angebetet*, adoré en prières. C'est ainsi que parle Jupiter aussi à Alcmène, sa « créature adorée[4] », dont il récompensera la pureté en lui engendrant un fils divin. Les immaculées de Kleist sont élues à la maternité. Leur fécondité est le trésor des pères.

Derrière le rapport moderne, chrétien et chevaleresque, qui s'établit entre l'honneur du père et son symbole, la pureté de la fille, se dessine donc un autre, primitif, où la fille est une valeur d'échange, destinée à procurer des alliances au père. On a voulu voir de l'ironie dans la fin de *La Marquise d'O...* où l'époux acquiert l'usage de ses droits conjugaux par des dispositions financières, par un don de vingt mille roubles à son fils nouveau-né et par un testament qui assure sa succession à l'épouse. Non seulement cette dernière, mais toute la famille accepte désormais de le recevoir et, après que sa femme a accepté de vivre avec lui, c'est toute la famille qui s'installe à la campagne où naîtront encore beaucoup d'enfants. C'est un dénouement aimable, conté sur un ton enjoué, mais sans ironie. Il est la solution adéquate d'un conflit archaïque : au lieu de ravir la fille, l'homme s'intègre dans la famille du père, unissant sa force et sa richesse à celles du clan. Si l'innocence de la marquise, son inconscience complète pendant le viol est si importante, c'est qu'elle est la preuve de sa fidélité à la famille. Se donner à un homme, le choisir elle-même, ce serait disposer d'elle-même, soustraire son corps fécond à la communauté, suivre son penchant person-

1. Lettre à Wilhelmine von Zenge, 21 mai 1801, *Corr.*, p. 195.
2. Lettre à Henriette von Schlieben, 18 juillet 1801, *Corr.*, p. 204.
3. Lettre à Adolphine von Werdeck, novembre 1801, *Corr.*, p. 246.
4. *Amphitryon*, II, 5.

nel au détriment de l'intérêt des autres. Qu'on songe à Penthésilée, coupable, selon la loi des Amazones, d'aimer Achille : dans cette société primitive, la femme n'a pas le droit de choisir, elle n'a que l'obligation d'enfanter. Ce sont les mêmes rapports, occultés par des coloris historiques différents, qui régissent partout la famille chez Kleist. C'est pourquoi la fin d'*Amphitryon* n'a rien d'ironique non plus : la joie du mari trompé dont l'épouse donnera le jour à un bâtard divin est authentique, puisqu'il comptera désormais l'Olympe parmi ses alliés.

Le but de la vie des femmes est de perpétuer la nature, déclara le jeune Kleist dans un temps où, respectueux des idéologies, il s'exerçait encore à attribuer des buts aux actions [1]. Cette conviction survivra à la débâcle. Fille du seigneur de G..., la marquise d'O... s'appellera la comtesse F... à l'époque où son corps fécond rendra heureuse toute sa famille. La transmission du nom n'a pas d'importance, le fondement du bonheur est la croissance de la richesse, de la force, de la vie. Le comte apporte dans la famille sa fortune, sa vaillance, sa puissance génitrice : commencée par son intrusion, l'histoire se termine par son intégration.

L'histoire de Littegarde von Auerstein aura aussi une fin heureuse. Deux hommes la courtisent, l'artificieux Jacob Barberousse et Friedrich von Trota, le preux chevalier. Le premier fait intrusion au château paternel, mais c'est à une fille de chambre de mauvaise vie qu'il engendre un enfant. Il meurt, et Littegarde hérite non seulement des biens de son père, mais aussi de ceux de l'intrus qui l'a offensée, et elle épouse le seigneur Friedrich dont l'empereur récompense la prouesse par un collier d'honneur. La fortune de l'un et la vaillance de l'autre s'unissent pour assurer son avenir prospère. Dans *L'Enfant trouvé*, en revanche, les projets d'intégration échouent : la jeune nièce que Piachi donne pour femme à son fils adoptif meurt avec

1. Cf. *Über die Aufklärung des Weibes* (1800).

son enfant nouveau-né ; par sa tentative de viol, Nicolo s'affirme intrus et, entré en possession de la fortune de son bienfaiteur, il le chasse de sa maison. Double échec dans *Les Fiancés de Saint-Domingue* : Gustave perd d'abord Marianne dont le père, un marchand français, a consenti à leur union ; puis il perd Toni, fille d'un marchand français elle aussi, parce qu'il croit que c'est aux intérêts de son père adoptif, du criminel Hoango, qu'elle obéit. Echec et espoir dans *Le Tremblement de terre du Chili* : l'accueil que la bonne société offre au jeune couple ne peut leur épargner la colère de la foule ; mais leur enfant survit, dans les bras d'un « demi-dieu » (p. 111). *Sainte Cécile* se termine par la démence religieuse des quatre frères qui ont voulu violer l'église : ils vivront à l'asile comme dans un monastère, en louant le Seigneur ; leur intégration dans la communauté du Père, est-elle une récompense ? est-elle une punition ? Dans *La Mendiante de Locarno*, toute structure familiale est absente. Mais la rencontre d'une mendiante est une invitation au don ; aussi la punition du marquis sera-t-elle l'appauvrissement complet qui le précipitera dans la mort.

La dynamique de l'histoire se laisse définir à présent. De la catastrophe qui ébranle la société, le viol est l'incidence sur la vie privée. La seule réparation possible est l'intégration de l'intrus dans la famille offensée : le don qu'il fait de soi, de ses valeurs, scelle l'union retrouvée, et permet qu'une nouvelle vie commence sur les ruines d'un monde effondré. Mais si cette réparation n'a pas lieu, la destruction continue, sanglante, infernale, anéantissante.

Kleist entre à l'armée en 1792 et meurt en 1811. Pendant ces deux décennies, l'Europe est en feu. A quinze ans, Kleist participe à la campagne du Rhin et, bien qu'il donne sa démission, il continuera à être ballotté par la guerre : il la fuit, s'en laisse surprendre, en profitera, en souffrira. S'intégrer dans une famille, trouver un père en épousant la fille, c'est un rêve de temps de guerre. Kleist accepte l'invitation de Wieland, « malgré une très jolie fille » de celui-ci[1]. Luise Wieland a quatorze ans. Elle prend pour de l'amour, dira-t-elle plus tard, l'intérêt du poète pour la métamorphose de l'enfant en jeune fille, et y répond[2]. « [...] j'ai trouvé plus d'affection que je ne méritais, et tôt ou tard il me faudra repartir ; étrange destin que le mien[3] ! », commente Kleist. Wieland, le patriarche de la littérature allemande, qui reconnaît le génie de Kleist et l'accueille sous son toit hospitalier, dans sa famille, c'est comme la fin de *La Marquise d'O...* Mais le rêve n'est pas la réalité. Kleist est prié de partir, l'intégration est hors de question, le penchant de la fille n'a fait que compromettre les rapports avec le père. Il manquait, c'est vrai, dans cette histoire deux conditions nécessaires du bonheur des brutes : le passage à l'acte sexuel et l'immense amour.

### *Le récit : la vérité violée*

Ce roman n'est pas pour toi, ma fille ! Evanouie !
Quelle farce éhontée ! Elle a seulement fermé les yeux, je le sais.

Intitulée « La Marquise d'O... », cette épigramme de Kleist raille le public bien-pensant qui, en emboîtant le pas des parents de l'héroïne, refuse de croire à l'inconscience de celle-ci pendant le viol et, par conséquent, à son innocence. Cette incrédulité persiste de nos jours encore : en s'efforçant de démontrer que l'état d'inconscience ne sert qu'à permettre à l'inconscient de satisfaire un désir refoulé, les critiques non seulement continuent à déchirer la réputation de la marquise, mais oublient de tenir compte de la construction de la nouvelle où l'invraisemblance de

1. Lettre à Ulrike von Kleist, janvier 1803, *Corr.*, p. 272.
2. Lettre de Luise Wieland à G. Emminghaus, 1813, dans Helmut Sembdner : *Kleist Lebensspuren, id.*, p. 77.
3. Lettre à Ulrike von Kleist, janvier 1803, *Corr.*, p. 272.

l'incident est essentielle. Elle est la clé de voûte d'une logique qui, à l'instar de la voûte — l'image est de Kleist[1] — se maintient parce que deux mouvements d'effondrement s'y rencontrent de façon à s'annuler. D'un côté, c'est l'apparence, vouée à l'effondrement par définition ; de l'autre, c'est la vérité qui, chez Kleist, est toujours sur le point de s'effondrer faute de preuves. Les deux côtés se maintiennent, cependant, pour former la charpente de la nouvelle parce que l'invraisemblance de la vérité oblige à faire crédit à l'apparence.

La vérité, chez Kleist, est l'invraisemblable. Ce n'est pas une thèse aventureuse, romanesque ou romantique, mais une conviction intellectuelle lucidement fondée : la vérité est l'invraisemblable parce que la vraisemblance est une catégorie de la raison, et la raison n'est pas apte à accéder à la vérité. On retrouve ici l'écho de la « crise kantienne ». Mais, ayant dépassé cette crise grâce à la création littéraire, Kleist ne se préoccupe plus de l'impossibilité de connaître la vérité[2] ; au contraire, il ne cesse d'affirmer qu'elle est de l'ordre de l'évidence. Qu'elle est immédiatement connaissable, à condition qu'on quitte le domaine de la vraisemblance. C'est celle-ci que les critiques défendent en attaquant la marquise : si elle n'est pas innocente, l'honneur de la raison est sauf.

L'opposition de la vérité et de la vraisemblance est pourtant explicite dans les récits. Elle commande toute leur organisation : protestations d'innocence, doute, recherche de preuves, interrogatoires, pièges. Dans *Le Duel*, toutes les instances, séculières et divines, de la justice sont saisies. Dans *L'Enfant trouvé*, le doute, celui de Nicolo à l'égard de la pureté

1. Cf. la lettre à Wilhelmine von Zenge du 16 (et 27) novembre 1800.

2. Dans la philosophie étudiée -ar Kleist, c'est, bien entendu, le problème de la connaissance de la réalité qui se pose. Mais Kleist se préoccupe de la « vérité » aussi bien à l'époque de la crise que, plus tard, dans ses œuvres littéraires.

d'Elvire, persiste même lorsqu'il sait que ses suppositions ne sont pas fondées. Dans *Les Fiancés de Saint-Domingue,* les amoureux eux-mêmes sont divisés par l'invraisemblance de la situation : c'est lorsqu'elle ment, lorsqu'elle déclare qu'elle est du côté de ceux qui veulent la mort de Gustave, que Toni est dans la pleine vérité de son amour. « Tu n'aurais pas dû te méfier de moi ! », telles sont ses dernières paroles, adressées à son meurtrier (p. 154).

Il suffirait d'avoir confiance pour reconnaître immédiatement la vérité, mais la raison engendre le doute, elle exige des preuves, des arguments, et si l'innocent en fournit, il sera perdant à coup sûr parce qu'il s'avance sur un territoire qui n'est pas le sien. Friedrich von Trota n'argumente pas, il déchire la lettre qui accuse Littegarde et demande l'ordalie : il agit au lieu de raisonner. Pendant le combat, il semble d'abord fixé au sol, montrant « une abstention étrange [...] de toute offensive » (p. 230), mais on l'en critique, et, obéissant à sa susceptibilité, il passe à l'attaque. Dès lors, il est vulnérable : il accepte le raisonnement qui juge son attitude comme celle d'un homme intimidé — c'est la vraisemblance : l'apparence —, et, en se fondant sur l'adversaire, il en adopte la tactique ; or la vérité n'attaque point, elle ne recule ni n'avance, mais, immobile, elle résiste. De paroles non plus, elle n'a pas besoin.

Les thèmes de la vérité et de l'inefficacité de la parole sont liés dans l'œuvre de Kleist. Parole soutirée sous la torture dans *La Famille Schroffenstein,* parole mensongère de la justice dans *La Cruche cassée,* parole équivoque de Jupiter dans *Amphitryon* ; Hermann met à profit l'équivoque, conduisant Varus à sa mort à cause d'une syllabe ; Penthésilée tue Achille en confondant les deux termes d'une rime, le prince de Hombourg ne croit pas à la lettre de la loi : dans le théâtre de Kleist, l'inefficacité de la parole est mise en scène. La nouvelle la donne comme fait. Il y a peu de dialogues dans les nouvelles de Kleist, et ils sont toujours pris dans la narration, souvent en forme de discours indirect : les dires des personnages sont des faits, aussi peu aptes à prouver la vérité que les faits. C'est la langue elle-même qui est en cause, sa logique qui, relevant de la raison, est du côté de l'apparence. « Une conscience pure et une sage-femme ! » s'écrie, consternée, Mme de G... lorsque sa fille, tout en protestant de son innocence, veut éclairer le mystère de son état (p. 65). La conjonction des deux termes est censée démontrer la culpabilité de la marquise : elle se contredit. Mais c'est la syntaxe qui ment en plaçant sur le même plan deux propositions dont l'une se rapporte aux sentiments et l'autre au corps. Les deux sont vraies, et leur clivage est vrai aussi. La langue, cependant, déterminée par une logique qui ne tolère pas l'hétérogénéité, est inapte à exprimer de telles vérités. Littegarde plaide coupable, alors qu'elle est innocente parce qu'elle se croit obligée d'accepter l'interprétation syllogistique de l'ordalie : celui qui est mis hors de combat à tort ; Friedrich von Trota, le champion de son innocence, a été mis hors de combat, donc elle est coupable. Mais cette interprétation est fausse. Dieu ne raisonne pas, il manifeste la vérité dans les corps : le coupable meurt, le juste guérit. « Que le sentiment qui vit au fond de toi se dresse comme un roc ; appuie-toi sur lui sans fléchir, quand bien même à tes pieds et sur ta tête la terre et le ciel s'effondreraient ! » (p. 239), dit Friedrich à Littegarde déchirée par la contradiction entre l'apparence et sa vérité intérieure. La vérité est dans le sentiment et dans le corps. La langue ne peut l'exprimer qu'en se faisant sentiment et corps : par des exclamations, des phrases inachevées, insensées. Par des paroles incomprises de ceux pour qui la langue est logique.

Mais la littérature s'exprime aussi par la langue. Le récit, de plus, à la différence du théâtre où le cri peut dire la vérité, est dominée par la seule logique. Kleist la déjouera en la poussant à l'absurde. Sa narration est conduite par une causalité stricte, elle est objective, réduite au compte rendu de l'enchaînement des faits dont aucun commentaire n'allège le poids, aucun filtre subjectif n'amortit le choc. Ce sont des faits bruts, réels parce que la réalité est causale. On a souvent remarqué la fréquence des constructions causales et circonstancielles dans la prose de Kleist : il les entasse, souligne leur importance, de façon que les événements s'imposent comme une suite d'actions et de réactions. Plus que sobre, c'est une narration fruste : brutale.

C'est la défaite de la vraisemblance qui est visée par ce procédé agressif. Tout s'enchaîne, et les conclusions sont fausses pourtant parce qu'elles se fondent sur la cohérence des faits établie par la raison. Littegarde a laissé partir sa femme de chambre la nuit de la Saint-Remi, sa bague est en la possession de Jacob Barberousse, celui-ci a mis hors de combat son champion, donc elle est coupable. Toni a ligoté Gustave dans son sommeil, expliquant à Hoango qu'elle a voulu prévenir ainsi sa fuite, donc elle a trahi son amant. Le danger de la logique est d'exclure, en se contentant de la cohérence, la donnée supplémentaire et invraisemblable en laquelle réside la vérité. Et les fausses conclusions sont meurtrières : prises pour des réalités, elles provoquent des condamnations à mort, des meurtres, des suicides.

La vérité n'est pas dans l'enchaînement des causes, mais dans le désordre des hasards, des coïncidences invraisemblables des circonstances, dans le choc fortuit des corps, dans le viol qui dévie les destins. C'est en se plaçant en deçà de la logique, dans l'empyrée des sentiments et des instincts, que Kleist dépasse la « crise kantienne ». La fragilité de l'ordre du monde qu'expérimentent tous ses personnages, les villes effondrées, les multitudes péries dans la peste, dans la guerre, autant de preuves de la persistance d'un univers primitif, foyer de catastrophes, que la civilisation n'a conquis qu'en apparence. Tout ordre institué par la raison, la langue, la loi, n'est qu'apparence.

Dieu a parlé en donnant la santé à Friedrich von Trota et la maladie à Jacob Barberousse. L'empereur doit changer le texte de la loi, en entériner la fragilité.

L'édifice causal de la nouvelle n'a été mis en place que pour être détruit. Le hasard, le choc fortuit des corps, le viol sont des « incidents » — Kleist emploie souvent le terme —, et, en même temps, des incidences de la catastrophe sur la vie privée, sur la famille divisée en individus solitaires. Ce rapport entre la catastrophe et la déréliction est la seule causalité vraie. Mais elle reste implicite, c'est au lecteur de le dégager pour se confronter, seul, sans protection, à l'apocalypse. Là est l'autre objectif de l'agressivité de la narration fruste de Kleist : la brutalité du choc provoque la catharsis.

*L'immense amour*

Le problème de la vérité sans preuves se pose à Kleist bien avant la « crise kantienne ». Quelques mois après ses fiançailles, il entreprend un voyage dont il ne révèle pas le but à sa fiancée, lui répétant sans cesse dans ses lettres qu'elle doit avoir une confiance aveugle en son honnêteté, en sa véracité, parce que lui-même, il ne pourra réaliser son projet que s'il peut faire confiance à la confiance qu'elle a en lui. C'est une tautologie torturante, une interminable mise à l'épreuve de l'autre et de lui-même, une méfiance cruelle en lui-même, en son amour et en sa capacité de se faire aimer. Au terme du voyage, c'est tout ce qu'il en dit, il sera capable de rendre heureuse Wilhelmine : de la rendre mère. A Wurzbourg, Kleist a été guéri d'un phimosis, pense-t-on, ou, peut-être, d'une impuissance d'origine psychologique. Peut-être n'a-t-il pas été guéri, peu importe. Ce qui importe est la conjonction du mystère, de l'exigence de la confiance et des protestations d'honnêteté et de véracité autour d'un problème sexuel. Dans les nouvelles aussi, la vérité indicible et invraisemblable est liée à la sexualité : à l'innocence d'une femme violée.

Le comte apparaît à la marquise comme un ange venu pour la sauver ; lorsqu'elle apprend qu'il est le père de son enfant, il lui apparaît comme le diable. Colino et Nicolo se ressemblent, les lettres mêmes qui composent leurs noms sont identiques ; l'un est un ange qui sauve Elvire des flammes d'un incendie, l'autre le diable qui veut la violer. Littegarde est recherchée par deux hommes, l'un la déshonore, l'autre répare son honneur. Quatre iconoclastes, une bande joyeuse, quatre frères en voyage, excités par la boisson, veulent violer un couvent de carmélites ; le *Salve Regina* paralyse leur volonté, et ils vivront désormais en état de démence. Un des jours les plus joyeux de Kleist fut celui où il est allé avec trois de ses amis, tous ayant goûté d'un vin généreux, visiter l'ancien couvent de Madonna del Monte, à côté de Varese. Mais la joie de cette journée lui semble déjà lointaine lorsqu'il la raconte : elle a été suivie de peu d'un effondrement psychique[1]. Notre-Dame de la Montagne est le nom du couvent de carmélites violé par Jeronimo pour rejoindre Josephe ; dans son désespoir, c'est de la Vierge qu'il attend le salut.

C'est Notre-Dame qui est violée toujours, la mère immaculée. Dans *La Marquise d'O...*, la comparaison avec la Vierge est explicite. Toutefois, l'acte charnel a eu lieu. En protestant de son innocence, la marquise s'exclame : « Je crois plutôt que les tombeaux peuvent être fécondés et que, du sein des cadavres, peut sortir un nouvel être ! » (p. 64). Elle dit la vérité ; si elle ignore le viol, c'est qu'elle était comme morte, évanouie. Elvire s'évanouit dans les bras de Nicolo : « son fin visage [...] pâlissait déjà sous le baiser de la mort » (p. 184). Le désir de Gustave est éveillé par la ressemblance de Toni à sa fiancée morte ; elle s'appelait Marianne Congreve, sa tête est tombée sous la

1. Cf. la lettre à Henriette von Schlieben du 29 juillet 1804.

guillotine ; Marianne, Toni : Marie-Antoinette, la reine morte en place de Grève. La mendiante du château de Locarno est vieille, malade, mourante. Josephe accouche pendant la procession de la Fête-Dieu, *Fronleichnamstag* en allemand, dénomination qui contient le mot « cadavre » ; l'accouchée sera condamnée à la décapitation. L'attaque du couvent de Sainte-Cécile aussi devrait avoir lieu pendant la cérémonie de la Fête-Dieu ; pour l'empêcher, sainte Cécile dirige l'oratoire sous les traits de Sœur Antonie ; celle-ci est trouvée morte dans sa cellule après le miracle.

L'homme est ange et diable, la femme est immaculée et morte. La vérité indicible réside dans le mystère des deux images superposées. L'une est celle de l'annonciation, de l'ange apparu à la Vierge, de la conception par la parole qui se fait corps. C'est l'amour sacré, chaste, fécond. L'autre image représente le viol : le soudard, la bête, la brute tue la femme en la possédant. L'origine de l'impuissance de Kleist, était-ce la peur d'une puissance destructrice ? Son seul acte d'amour, le double suicide, semble le prouver. Le comportement du comte F... après le viol prouve aussi cette hypothèse : il déploie une « prodigieuse énergie » pour éteindre l'incendie de la citadelle, « grimpant ici et là au milieu des pignons en flammes et dirigeant les jets de la pompe », disparaissant dans les dépôts de munitions pour en sortir « roulant des tonneaux de poudre et des bombes chargées » (p. 47-48).

Mais c'est à tort, peut-être, qu'on oppose les deux images, qu'on tente de supprimer leur confusion. La femme morte, sans connaissance, symbolise peut-être le don de soi complet, la confiance aveugle, qu'est l'amour : « se sacrifier, périr pour ce qu'on aime, c'est la plus haute félicité qu'on puisse s'imaginer sur terre, et ce doit être le ciel, s'il est vrai qu'on y est heureux et comblé [1] ». L'immaculée meurt pour l'amour et par

1. Lettre à Marie von Kleist, 19 novembre 1811, p. 428. (La traduction donne par erreur « aller jusqu'au bout » au lieu de « périr ».)

l'amour de l'ange. Kleist se recueille devant *La Mort de sainte Madeleine* de Simon Vouet : son visage envahi par la pâleur de la mort, elle s'affaisse dans les bras des anges qui touchent ce corps délicat avec délicatesse [1]. Résolu à tuer Henriette Vogel et à se tuer ensuite, Kleist écrit : « Quant à nous, nous ne voulons rien savoir des joies de ce monde et ne rêvons que de campagnes célestes et de soleils sous lesquels nous allons errer, avec de longues ailes aux épaules [2]. » Les coups de pistolet, pourtant, appartenaient encore aux joies de ce monde.

L'ange viole la morte, le soudard prend dans ses bras la Vierge avec délicatesse. « Qu'importe » — c'est encore une expression qui ponctue les écrits de Kleist —, puisque seul importe l'immense amour, le désir brutal et sacré. Le salut, selon Kleist, réside dans l'innocence des bêtes ou, pour ceux qui y ont été arrachés par la conscience — par la civilisation, la raison —, dans une répétition du péché originel qui leur permettra de recouvrer l'innocence primitive [3]. La peste, le tremblement de terre, la révolution, la guerre, le viol nous font renaître à nous-mêmes, à notre corps, à nos sentiments, à la vérité du désir. A un désir brutal : tragique. Ce n'est qu'en nous y confrontant que nous pourrons, peut-être, survivre à la faiblesse des pères, à l'absence de Dieu, à l'effondrement de la loi : à la déréliction. L'alternative est là, inscrite à l'horizon libéré par l'incendie des coulisses.

Antonia FONYI.

1. Cf. la lettre à Marie von Kleist de juin 1807.
2. Lettre à Sophie Müller, 20 novembre 1811, p. 429.
3. Cf. la fin de l'essai sur le théâtre des marionnettes.

LA MARQUISE D'O...

Le tremblement de terre du Chili.
Les fiancés de Saint-Domingue.
La mendiante de Locarno.
L'enfant trouvé.
Sainte Cécile ou la puissance de la musique.
Le duel.

# LA MARQUISE D'O...

*(Die Marquise von O...)*

En 1807, lorsque Kleist rentre de captivité, la nouvelle est probablement terminée. Elle est publiée d'abord dans le deuxième numéro de *Phöbus* (Dresde), avec le sous-titre « D'après un événement réel dont le théâtre a été déplacé du nord au sud », puis dans le premier volume des *Récits* (*Erzählungen*, 1810).

Parmi les nombreuses occurrences du thème central, la conception d'un enfant par une femme inconsciente, on cite souvent comme modèle « La Force du sang » de Cervantes (*Nouvelles exemplaires*), bien que les deux nouvelles ne montrent guère de ressemblances. En revanche, une anecdote racontée par Montaigne dans l'essai sur l'ivrognerie (*Essais*, II, 2), semble être effectivement une source d'inspiration. En voici le texte : « Et ce que m'aprint une dame que j'honnore et prise singulièrement, que près de Bourdeaux, vers Castres où est sa maison, une femme de village, veuve, de chaste réputation, sentant les premiers ombrages de grossesse, disoit à ses voisines qu'elle penseroit estre enceinte si elle avoit un mari. Mais, du jour à la journée croissant l'occasion de ce soupçon, et en fin jusques à l'évidence, ell'en vint là de faire déclarer au prosne de son église que, qui seroit consent de ce faict, en le advoüant, elle promettoit de le luy pardonner, et, s'il le trouvoit bon, de l'espouser.

Un sien jeune valet de labourage, enhardy de cette proclamation, déclara l'avoir trouvée, un jour de feste, ayant bien largement prins son vin, si profondément endormie près de son foyer, et si indecemment, qu'il s'en estoit peu servir, sans l'esveiller. Ils vivent encore mariez ensemble. » D'autres sources probables : « Die gerettete Unschuld » (« L'innocence sauvée »), récit d'un auteur anonyme, publié en 1798 dans le *Berlinisches Archiv der Zeit und ihres Geschmacks*, et « Verbrechen und Strafe » (« Crime et châtiment »), une nouvelle d'August Lafontaine (1799).

La scène de la réconciliation entre la marquise et son père s'inspire d'un passage de *La Nouvelle Héloïse* (I, LXIII), où Julie, accusée — non sans fondement — de sa relation avec Saint-Preux, tombe, se blesse, et se laisse consoler par son père repentant qui la prend sur ses genoux : « [...] je ne sais quelle mauvaise honte empêchait ses bras paternels de se livrer à ces douces étreintes ; une certaine gravité qu'on n'osait quitter, une certaine confusion qu'on n'osait vaincre, mettaient entre un père et sa fille ce charmant embarras que la pudeur et l'amour donnent aux amants ; [...]. »

Le rapprochement s'impose, enfin, entre la nouvelle et une anecdote de Kleist, « Sonderbare Geschichte die sich, zu meiner Zeit, in Italien zutrug » (« Histoire curieuse qui eut lieu à mon époque, en Italie »), publiée dans le numéro du 3 janvier 1811 des *Berliner Abendblätter*. Cette fois, l'héroïne se laisse séduire par un jeune homme qui la quitte, puis elle parvient à légimiter son enfant grâce à un mariage simulé avec un étranger qui n'existe pas.

Le siège de la citadelle évoque les souvenirs du séjour de Kleist à Wurzbourg où le général d'Allaglio avait décidé de défendre contre les Français une citadelle que sa situation rendait, selon Kleist, intenable (lettre des 11 et 12 septembre 1800 à Wilhelmine von Zenge). Rappelons que le but de ce séjour était un traitement médical permettant à Kleist de rendre mère sa future épouse. D'après les recherches de Heinz

Politzer, en revanche, l'intrigue de la nouvelle se déroule en 1799, pendant la deuxième coalition, lorsque l'armée de Souvarov occupe la Haute-Italie. M..., la ville assiégée, est Modène ; V..., la campagne de la marquise, est Vignola ; P..., où le comte reçoit une blessure, est Piacenza ; K..., l'oncle du comte, est le général Korsakov. (« Der Fall der Frau Marquise », *Deutsche Vierteljahrsschrift für Literaturewissenschaft und Geistesgeschichte,* 1977, p. 98-128.) C'est ainsi que s'expliquerait le déplacement du « théâtre » des événements du nord au sud, signalé dans le sous-titre de *Phöbus.*

A. F.

# LA MARQUISE D'O...

A M..., ville importante de la Haute-Italie, la marquise d'O..., une dame veuve d'excellente réputation, mère de plusieurs enfants parfaitement élevés, fit connaître par la voie de la gazette que, sans s'expliquer comment, elle se trouvait enceinte, que le père devait se présenter pour reconnaître l'enfant qu'elle mettrait au monde et que, pour des considérations de famille, elle était résolue à l'épouser. La dame qui, dans l'étau d'une situation implacable, faisait avec une telle tranquillité un geste si étrange, en s'attirant ainsi la risée publique, était la fille du seigneur de G..., gouverneur de la citadelle de M... Il y avait à peu près trois ans qu'elle avait perdu son mari, le marquis d'O..., pour lequel elle avait l'attachement le plus profond et le plus tendre, dans un voyage qu'il faisait à Paris pour affaires de famille. Sur le désir de Mme de G..., sa vénérable mère, elle avait, après sa mort, quitté la villa qu'elle avait jusqu'alors habitée près de V..., et elle était revenue avec ses deux enfants chez son père, dans la maison du gouverneur. Elle avait passé là les années suivantes, occupée d'art et de lecture, élevant ses enfants, soignant ses parents et menant l'existence la plus retirée jusqu'à ce que, subitement, la guerre de... vînt inonder la région de troupes de presque toutes les nations, y compris la Russie. Le colonel de G..., qui avait l'ordre de défendre la place, enjoignit à sa femme et à sa fille de se retirer dans leurs terres des environs de V..., celles de sa fille ou bien celles de son fils. Mais, tandis que les deux femmes pesaient avec circonspection, d'une part, les épreuves auxquelles il fallait s'attendre dans la citadelle, et, d'autre part, les horreurs de la guerre en rase campagne, sans avoir pu encore faire pencher la balance, la citadelle était déjà attaquée par les troupes russes et sommée de se rendre. Le colonel signifia à sa famille qu'il se comporterait désormais comme si elles n'étaient pas là, et sa réponse fut : balles et obus. De son côté, l'ennemi bombarda la citadelle. Il incendia les magasins, enleva un ouvrage avancé, et alors que le gouverneur, après une nouvelle sommation, hésitait à se rendre, il prit toutes ses dispositions en vue d'une surprise de nuit et enleva d'assaut la citadelle.

Juste au moment où les troupes russes faisaient irruption sous un feu violent d'artillerie, l'aile gauche de la résidence du gouverneur prit feu, ce qui obligea les femmes à l'abandonner. La colonelle, se précipitant à la suite de sa fille qui descendait l'escalier avec les enfants, leur cria qu'il fallait ne pas se quitter et se réfugia sous les voûtes souterraines. Mais un obus qui, juste alors, éclata dans la maison, mit le comble à tout le bouleversement. La marquise, avec ses deux enfants, arriva sur l'esplanade du château où les coups de feu d'un combat devenu très violent trouaient la nuit de leurs éclairs ; alors, éperdue et ne sachant plus où aller, elle dut reculer dans la maison en flammes. Là, par malheur, en voulant s'échapper par la porte de derrière, elle tomba sur une bande de tirailleurs ennemis qui, à sa vue, s'arrêtèrent court, mirent l'arme à l'épaule et l'entraînèrent avec des gestes repoussants. Tiraillée de côté et d'autre par cette meute qui se la disputait de haute lutte, c'est en vain que la marquise appelait à l'aide ses femmes tremblantes qui s'enfuyaient par la porte. On la traîna dans la cour intérieure du château, et, là, elle allait s'effondrer sous les brutalités les plus odieuses lorsque parut, attiré par les cris de détresse de la dame, un officier russe qui, par de furieux coups, dispersa ces chiens lubriques acharnés à leur proie. Il apparut à la marquise tel un ange du ciel. De la poignée de son sabre, il frappa au visage le dernier de cette bande bestiale qui étreignait ce corps délicat et il le fit reculer chancelant, versant le sang à pleine bouche. Il offrit ensuite son bras à la dame, lui parlant en français avec courtoisie, et il la conduisit, muette après toutes les scènes de ce drame, dans l'autre aile du palais que les flammes n'avaient pas encore gagnée. Là, elle perdit complètement connaissance et s'effondra. C'est alors que... ses femmes, épouvantées, ne tardèrent pas à paraître, et lui fit tout le nécessaire pour faire venir un médecin ; il leur assura, tout en mettant son chapeau, qu'elle se remettrait sans tarder et il repartit au combat.

En peu de temps, la place fut entièrement conquise, et le gouverneur, qui ne se défendait plus que parce qu'on ne voulait pas lui faire quartier, se retirait avec des troupes défaillantes vers la grande entrée de sa demeure, lorsque l'officier russe, le teint très allumé, en sortit et lui cria de se rendre. Le gouverneur répondit qu'il n'avait attendu que cette sommation ; il lui tendit son épée, demandant la permission de pénétrer dans le château afin de voir ce qu'était devenue sa famille. L'officier russe qui, à en juger par son action, semblait être un des chefs des troupes d'assaut, lui donna cette liberté en le faisant accompagner d'une garde ; il mit une certaine hâte à se placer à la tête d'un détachement, décida du combat là où il pouvait être encore douteux et fit occuper en toute diligence les points défensifs du fort. Il s'empressa de revenir sur la place d'armes, donna l'ordre d'arrêter l'incendie qui faisait rage et s'étendait ; il y déployait lui-même une prodigieuse énergie lorsqu'on n'exécutait pas ses ordres avec assez de zèle. Tantôt on le voyait, le tuyau à la main, grimpant ici et là au milieu des pignons en flammes et dirigeant les jets de la pompe ; tantôt il disparaissait dans les dépôts de munitions, glaçant d'épouvante le cœur de ses Asiates, et il en sortait, roulant des tonneaux de poudre et des bombes chargées.

Le gouverneur qui, sur ces entrefaites, était entré dans sa demeure, tomba dans le plus grand abattement en apprenant ce qui était arrivé à la marquise. Elle s'était déjà complètement remise de son évanouissement sans le secours du médecin, comme l'avait bien prévu l'officier russe, et, tout heureuse de revoir les siens intacts et bien portants, elle gardait le lit uniquement pour apaiser leurs trop vives alarmes. Elle assura à son père qu'elle n'avait pas d'autre désir que de pouvoir se lever pour témoigner sa reconnaissance à son sauveteur. Elle savait déjà que c'était le comte F..., lieutenant-colonel du corps de chasseurs de T...n, chevalier de l'ordre du Mérite et de plusieurs autres ordres. Elle pria son père de lui demander instamment de ne pas quitter la citadelle sans s'être montré un instant au château. Le gouverneur, qui rendait hommage au sentiment de sa fille, retourna au fort sans plus tarder, et alors que l'officier allait et venait, vaquant sans répit aux mesures à prendre, sur les remparts où il passait en revue ses troupes échappées aux balles, — il n'y avait pas d'occasion meilleure de le rencontrer, — il lui fit part du désir et de l'émotion de sa fille.

Le comte lui assura qu'il n'attendait que l'instant où ses devoirs lui laisseraient quelques loisirs pour lui présenter ses hommages. Au moment où il allait s'informer de l'état de la marquise, plusieurs officiers vinrent lui faire des rapports qui l'entraînèrent de nouveau dans le tourbillon de la guerre. Au lever du jour, arriva le commandant en chef des troupes russes qui inspecta le fort. Il marqua au gouverneur sa haute estime, regretta que le succès n'eût pas mieux secondé son courage et, contre sa parole d'honneur, il lui accorda toute latitude pour aller où il voudrait. Le gouverneur l'assura de sa gratitude et lui exprima toutes les obligations qu'il avait contractées en cette journée envers l'ensemble des Russes et en particulier envers le jeune comte F..., lieutenant-colonel du corps de chasseurs de T...n. Le général demanda ce qui s'était passé, et, quand on lui eut fait le récit de l'ignoble attentat commis contre la marquise, il entra dans la plus violente indignation. Il fit avancer le comte F... en l'appelant par son nom ; il le félicita d'abord en quelques mots de ce qu'avait eu de chevaleresque sa conduite personnelle, ce qui couvrit de rougeur son visage, et il conclut en lui donnant l'ordre de faire fusiller les misérables qui avaient mis cette flétrissure sur le nom de l'empereur. Il lui enjoignit de dire qui ils étaient. Le comte répondit d'une voix mal assurée qu'il n'était pas à même de donner leurs noms : il lui avait été impossible de reconnaître leurs visages sous la lueur douteuse des réverbères de la cour. Le général, qui avait appris qu'à ce moment le château était déjà en flammes, se montra surpris ; il fit remarquer combien il est peu difficile de distinguer à leurs voix, dans la nuit, des gens qu'on connaît bien, et il le chargea, en haussant les épaules d'un air gêné, de faire à ce sujet l'enquête la plus minutieuse et la plus sévère. À ce moment, quelqu'un qui sortait des derniers rangs du cercle rapporta qu'un des soudards blessés par le comte, s'étant affaissé dans le corridor, avait été traîné par les gens du gouverneur dans un réduit où il se trouvait encore. Sur l'ordre du général, des hommes de garde allèrent alors le chercher ; il subit un rapide interrogatoire, et tous les cinq de la bande, après qu'il eut donné les noms, furent fusillés en même temps. Cela fait, le général, laissant dans le fort une petite garnison, ordonna à tout le reste des troupes de se mettre en marche. Les officiers se dispersèrent en toute hâte vers leurs unités. Tandis qu'ils couraient confusément de côté et d'autre, le comte s'approcha du gouverneur ; il lui dit ses regrets de ne pouvoir dans ces circonstances qu'adresser ses très respecteux hommages à Mme la marquise et, en moins d'une heure, la place était complètement évacuée par les Russes.

La famille se demandait comment elle trouverait dans l'avenir une occasion de donner au comte quelque témoignage de sa reconnaissance. Mais quel ne fut pas son émoi d'apprendre que, le jour même de son départ de la forteresse, il avait trouvé la mort dans une rencontre avec l'ennemi ! Le courrier qui apporta la nouvelle à M... l'avait vu de ses yeux, frappé à mort d'un coup de feu dans la poitrine et transporté à P... où l'on savait, de certitude, qu'il avait expiré à l'instant où les brancardiers allaient le descendre de leurs épaules. Le gouverneur, qui s'était rendu lui-même à la maison de poste et demandait de plus amples détails sur cette fin malheureuse, apprit en outre que, sur le champ de bataille, au moment où il avait reçu la balle, il s'était écrié : « Julietta ! cette balle te venge ! » Et, sur ces mots, ses lèvres s'étaient fermées pour toujours. La marquise était inconsolable d'avoir laissé échapper l'occasion de se jeter à ses pieds. Elle se faisait les plus violents reproches de ne pas avoir été elle-même à sa recherche devant son refus de paraître au château, refus sans doute inspiré, pensait-elle, par sa modestie. Elle plaignait l'infortunée, du même nom qu'elle, à laquelle il avait pensé jusque dans la mort. Elle s'efforça en vain de découvrir son séjour, afin de l'informer de ce malheureux et tragique événement, et plusieurs mois passèrent avant qu'elle-même eût pu l'oublier.

La famille fut alors obligée de quitter la résidence du gouverneur pour faire place au général russe. On se demanda d'abord si l'on ne se retirerait pas dans les propriétés du gouverneur, ce qui souriait beaucoup à la marquise. Mais le colonel n'aimait pas la vie à la campagne ; aussi la famille alla-t-elle occuper une maison de la ville où elle s'installa pour y rester définitivement. Dès lors, ce fut le retour à l'ancien état de choses. Auprès de ses enfants, la marquise se remettait au rôle d'éducatrice longtemps interrompu, revenant à son chevalet et à ses livres aux heures de récréation, lorsqu'elle ressentit, elle qu'on aurait prise jusqu'alors pour la déesse de la santé, des malaises intermittents qui, pendant des semaines, lui interdirent de paraître en société. Elle souffrait de nausées, de vertiges, de défaillances, et ne savait que penser d'un état aussi étrange. Un matin, tandis que la famille était réunie pour le thé, son père ayant quitté la pièce pour quelques instants, la marquise se réveilla d'une longue torpeur et dit à sa mère : « Si une femme me disait qu'elle a ressenti la même chose que ce que je viens d'éprouver en prenant ma tasse, je penserais à part moi qu'elle est enceinte. » Mme de G... dit ne pas comprendre. La marquise insista, déclarant qu'elle venait d'éprouver la même sensation qu'autrefois quand elle portait sa deuxième fille. Mme de G... lui dit qu'elle accoucherait peut-être d'une chimère et rit. « C'est pour le moins Morphée ou l'un des Songes de son cortège qui serait le père », répliqua la marquise en plaisantant sur le même ton. Mais l'arrivée du colonel interrompit la conversation et, la marquise s'étant rétablie en peu de jours, toute cette histoire fut oubliée.

Peu de temps après, tandis que le maître des forêts de G..., le fils du gouverneur, se trouvait également à la maison, la famille eut l'extraordinaire émotion de voir un serviteur entrer au salon en annonçant le comte F... « Le comte F... ! » s'écrièrent en même temps le père et sa fille. Et, dans leur surprise, tous restaient sans voix. Le serviteur assura qu'il avait bien vu et bien entendu et que le comte était déjà dans l'antichambre et attendait. Le gouverneur ne fit qu'un bond pour aller lui ouvrir et lui, beau comme un jeune dieu, une légère pâleur au visage, fit son entrée. Quand cette scène d'inconcevable effarement eut pris fin et que le comte eut assuré qu'il était bien vivant aux parents qui voulaient le convaincre d'être mort, il tourna vers leur fille un visage très ému et, sans attendre, lui demanda d'abord comment elle allait. « Fort bien », assura la marquise, impatiente de savoir comment il était revenu à la vie. Mais, sans perdre de vue son objet, le comte répondit qu'elle ne lui disait pas la vérité : son visage trahissait une étrange fatigue ; il eût été bien trompé si elle n'était pas mal à son aise et souffrante. La marquise, mise en bonne humeur par l'accent de cordialité qu'il mettait dans ses paroles, répliqua qu'en effet, s'il le voulait ainsi, on pouvait voir dans cette fatigue la trace d'un mauvais état de santé dont elle avait souffert quelques semaines auparavant ; au demeurant, elle n'avait nulle crainte que cela pût avoir d'autres suites. Lui, dans une explosion de joie, répliqua : « Et moi, pas davantage ! » Et il lui demanda alors si elle consentirait à l'épouser. La marquise resta interdite devant l'inattendu de ces paroles. Rougissant à l'extrême, elle regardait sa mère, et celle-ci regardait son fils et son mari d'un air embarrassé. Le comte avança vers la marquise et, lui prenant la main comme pour la baiser, renouvela sa demande. Avait-il été compris ? Le gouverneur le pria de s'asseoir et lui avança un siège avec une courtoisie quelque peu compassée. « En vérité, dit la colonelle, nous allons croire que vous êtes un esprit, jusqu'à ce que vous ayez révélé comment vous êtes sorti de la tombe où l'on vous avait déposé à P... » Le comte s'assit, cessant de tenir la main de la marquise, et dit que les circonstances lui commandaient d'être bref. Blessé à mort, la poitrine traversée, il avait été transporté à P... ; là, pendant plusieurs mois, il avait douté de pouvoir survivre ; durant tout ce temps, Mme la marquise avait été sa seule pensée ; il ne pouvait décrire le plaisir et la douleur qui se mêlaient pour encadrer son image. Une fois rétabli, il était enfin revenu à l'armée ; là, sous le coup d'une agitation intense, il avait maintes fois pris la plume pour ouvrir son cœur au colonel et à la marquise. On l'avait subitement envoyé à Naples avec des dépêches : il ne savait point si, de là, on ne lui donnerait pas l'ordre de partir pour Constantinople ; peut-être même devrait-il aller jusqu'à Saint-Pétersbourg ; d'ici là, il lui serait impossible de vivre plus longtemps sans savoir à quoi s'en tenir sur une impérieuse aspiration de son âme. En traversant la ville de M..., il n'avait pu résister à la force qui le poussait à quelque démarche pour y parvenir ; bref, il était possédé du désir de voir ses vœux couronnés par la main de la marquise, et il lui adressait la plus respectueuse, la plus instante et la plus pressante prière de vouloir bien lui répondre sans détour.

Le gouverneur, après un long silence, déclara que cette demande, si elle était sérieuse, — et il n'en doutait pas, — était certes très flatteuse. Cependant, à la mort de son époux, le marquis d'O..., sa fille s'était résolue à ne pas s'engager dans un nouveau mariage. Néanmoins, elle avait naguère contracté envers le comte une si grande obligation qu'il n'était pas impossible que sa résolution ne vînt à en être modifiée selon ses vœux. En attendant, il le priait en son nom de lui accorder un certain délai pour y réfléchir dans le calme. Le comte assura que ces bienveillantes paroles allaient certes au-devant de tous ses espoirs, qu'en d'autres circonstances elles l'auraient comblé de bonheur et qu'il sentait tout ce qu'il y avait d'inconvenant à ne pas y trouver son apaisement. Mais il avait de pressants motifs — sans pouvoir entrer dans plus de détails à leur sujet — pour désirer au plus haut point une déclaration plus précise : les chevaux qui devaient l'emmener à Naples étaient déjà attelés et sa prière la plus instante était que si, dans la maison, quelque chose parlait en sa faveur, — ce disant, il fixait des yeux la marquise, — on ne le laissât point se mettre en route sans une réponse de bon augure.

Le colonel, que cette réplique ne laissait pas de surprendre, repartit que la reconnaissance qu'éprouvait pour lui la marquise l'autorisait à des anticipations, lesquelles, pour être grandes, n'étaient cependant pas de cette taille ; devant une telle démarche où il y allait du bonheur de sa vie, elle ne pouvait que s'inspirer de la circonspection nécessaire. Il était indispensable qu'avant de se déclarer, elle fût assez heureuse pour le connaître plus amplement. Il l'invita à revenir à M... quand il aurait rempli sa mission, de façon à être quelque temps l'hôte de la maison. Si alors la marquise pouvait espérer trouver son bonheur avec lui, alors seulement il serait le premier ravi d'apprendre qu'elle lui aurait rendu une réponse précise. Une rougeur monta au visage du comte.

« C'est là le destin que j'ai prévu pour mes vœux impatients pendant tout mon voyage », fit-il, ajoutant que désormais il se voyait plongé dans le plus profond chagrin. Vu le rôle ingrat qu'il se trouvait réduit à jouer dans le présent, être connu de plus près ne pouvait que servir sa cause. Quant à sa réputation, — s'il fallait toutefois prendre en considération la plus ambiguë des qualités humaines, — il croyait pouvoir s'en porter garant ; l'unique indignité qu'il eût commise dans sa vie était inconnue du monde, et il était sur le point de la réparer : en un mot, il était homme d'honneur et il priait qu'on en acceptât l'assurance comme l'expression de la vérité.

Le gouverneur repartit avec un léger sourire, mais sans ironie, qu'il souscrivait à toutes ces déclarations. Jamais encore il n'avait fait la connaissance d'un jeune homme qui, en si peu de temps, eût fait paraître autant d'excellentes qualités de caractère. Il n'était pas loin de croire qu'un temps limité de réflexion dissiperait l'irrésolution qui planait encore ; cependant, avant d'en avoir conféré tant avec les siens qu'avec la famille du comte, il ne pouvait lui faire aucune autre déclaration que celle qu'il avait entendue. Le comte répliqua qu'il était sans parents et libre. Son oncle était le général K... et il répondait de son acceptation. Il ajouta qu'il était à la tête d'une fortune respectable et qu'il pourrait se décider à adopter l'Italie pour patrie.

Le gouverneur s'inclina courtoisement, lui exprima de nouveau sa volonté et le pria d'en rester là jusqu'à la fin de son voyage. Le comte, après un court silence où il avait donné toutes les marques du plus grand trouble, répondit en se tournant vers la mère qu'il avait tout fait pour éviter ce voyage officiel : les démarches qu'il n'avait pas craint d'entreprendre auprès du général en chef et du général K..., son oncle, étaient les plus décisives de celles qui se pussent faire. Mais on avait estimé que cette mission secouerait la mélancolie que sa maladie avait laissée derrière elle : de là la profonde détresse où il se voyait plongé.

La famille ne savait que répondre à une telle déclaration. Le comte, passant la main sur son front, ajouta que, s'il lui restait quelque espoir d'approcher par ce moyen du but de ses vœux, il essaierait d'y parvenir en différant son voyage d'un jour et peut-être bien d'un peu plus...

Ce disant, il regardait tour à tour le gouverneur, la marquise et sa mère. Le gouverneur baissait les yeux d'un air mécontent et ne répondait pas. « Partez, partez, monsieur le comte », dit la colonelle, « faites votre voyage à Naples, et, à votre retour, faites-nous le plaisir de demeurer avec nous quelque temps : ainsi, le reste s'arrangera... » Le comte resta un instant assis, paraissant chercher quel parti prendre... Puis, se levant, il écarta son siège. Les espérances avec lesquelles il était entré dans la maison étaient, il devait le reconnaître, prématurées, et il ne désapprouvait pas la famille de persister à vouloir le connaître davantage ; aussi allait-il renvoyer ses dépêches au quartier général à Z... afin qu'elles fussent expédiées autrement, et il acceptait pour quelques semaines l'offre aimable d'être l'hôte de la maison. La main posée sur sa chaise, debout contre le mur, il resta immobile un instant, considérant le gouverneur. Celui-ci répliqua qu'il lui serait extrêmement pénible de le voir s'attirer des désagréments de l'ordre le plus grave à cause de la passion qui semblait s'être emparée de lui pour sa fille. Néanmoins, c'est lui qui était juge de ce qu'il devait faire ou ne pas faire : il pouvait renvoyer les dépêches et occuper la chambre qu'on lui réservait. À ces mots, on le vit pâlir ; il baisa respectueusement la main de la mère, s'inclina devant les autres personnes et s'éloigna.

Il avait quitté la pièce et la famille en était à se demander ce qu'il fallait penser d'un pareil geste. Dans l'esprit de la mère, il ne pouvait se faire qu'il renvoyât à Z... les dépêches dont il était porteur pour Naples uniquement parce qu'il n'avait pas réussi, en passant par M..., à obtenir un oui dans un entretien de cinq minutes avec une dame totalement inconnue de lui. Le maître des forêts observa qu'un acte d'une telle légèreté n'exposait à rien de moins qu'aux arrêts de forteresse... « Avec la cassation par-dessus le marché », ajouta le gouverneur. « Toutefois, il n'y a rien à craindre », poursuivit-il. À son avis, ce n'était qu'un coup de canon d'alarme lors de la tempête : avant de renvoyer ses dépêches, il reviendrait bien au bon sens. En apprenant les risques qu'il courait, la mère marqua la plus vive appréhension qu'il les renvoyât. Sa volonté passionnée ne poursuivant qu'un seul objet ne lui paraissait que trop capable d'une telle action. Avec la plus grande insistance, elle pria le maître des forêts de le suivre sur-le-champ et de le détourner de courir au-devant de tous ces malheurs. Le forestier répondit que cette démarche produirait justement l'effet contraire, en ne faisant que le fortifier dans l'espoir de vaincre par cette ruse de guerre. C'était l'avis de la marquise qui, néanmoins, assurait que, même sans cette intervention, les dépêches seraient immanquablement renvoyées, car le comte braverait tous les maux plutôt que d'en avoir le démenti. Tous s'accordaient à trouver très étrange son comportement et cette façon, habituelle sans doute, d'emporter d'assaut le cœur des dames comme une forteresse.

À ce moment, le gouverneur aperçut devant sa porte la voiture attelée du comte. Il appela sa famille à la fenêtre et, surpris, il demanda à un domestique qui entrait justement si le comte était toujours dans la maison. Le domestique répondit qu'il était en bas, dans l'office, en compagnie d'un officier d'ordonnance, et qu'il était en train d'écrire des lettres et de sceller des paquets. Le gouverneur, dominant son grand trouble, descendit en hâte avec le maître des forêts et demanda au comte, en le voyant expédier sa besogne sur des tables peu faites pour cela, s'il ne voulait pas passer dans sa chambre et s'il n'avait point par ailleurs quelques ordres à donner. Tout en continuant d'écrire en grande hâte, le comte exprima ses très humbles remerciements, disant que sa besogne était achevée. En fermant la lettre d'un cachet, il demanda l'heure, puis il remit tout le portefeuille à l'officier d'ordonnance et lui souhaita bon voyage. Le gouverneur, qui n'en croyait pas ses yeux, s'écria, tandis que l'officier se retirait : « Monsieur le comte, si vous n'avez pas de raisons extrêmement sérieuses... » — « Des raisons décisives », interrompit le comte qui accompagnait l'officier jusqu'à sa voiture et lui ouvrait la portière. — « Dans ce cas, les dépêches », poursuivit le gouverneur, « je pourrais tout au moins... » — « Ce n'est pas possible », répondit le comte, en aidant l'officier à prendre place ; « sans moi, les dépêches sont sans valeur à Naples. J'y ai pensé aussi. En route ! » — « Et les lettres de M. votre oncle ? » cria l'officier, se penchant à la portière. — « Elles me trouveront à M... », répliqua le comte. — « En route ! » dit l'officier. Et la voiture s'éloigna bon train.

Le comte F..., se retournant alors vers le gouverneur, lui demanda de vouloir bien lui faire indiquer sa chambre. « J'aurai moi-même tout de suite cet honneur », répondit le gouverneur, déconcerté. Il fit prendre les bagages par ses gens et par ceux du comte, le conduisit dans l'appartement réservé aux hôtes et, sèchement, prit congé de lui. Le comte changea de costume et quitta la maison pour aller se présenter au gouverneur de la place ; pendant tout le reste de la journée, il ne parut point dans la maison et n'y revint qu'un peu avant le dîner.

La famille était demeurée dans la plus vive agitation. Le forestier rapporta combien avaient été catégoriques les réponses tombées des lèvres du comte à certaines représentations du commandant. Il estimait que son attitude avait toutes les apparences de la réflexion ; mais quelles raisons y avait-il au monde pour expliquer une demande en mariage faite ainsi en brûlant le pavé ? Le gouverneur déclara n'y rien comprendre et invita la famille à n'en plus parler en sa présence. La mère regardait à chaque instant par la fenêtre, se demandant s'il n'allait pas revenir, regretter sa légèreté et la réparer. Enfin, dans l'obscurité commençante, elle s'assit auprès de la marquise qui, tout absorbée à sa table de travail, semblait éviter la conversation. Elle lui demanda à mi-voix, tandis que le père allait et venait, si elle avait une idée de ce qui allait s'ensuivre. Elle répondit, jetant un regard timide sur le gouverneur, que si son père avait réussi à le faire partir pour Naples, tout eût été bien. « Pour Naples ! » cria le gouverneur, qui avait tout entendu. « Me fallait-il faire appeler le prêtre ? Ou bien fallait-il le faire arrêter, enfermer, puis l'envoyer à Naples sous escorte ? » — « Non », répondit la marquise, « mais de vives et pressantes représentations ne restent pas sans effet. » Et elle baissa les yeux sur son ouvrage d'un air quelque peu contristé.

À la nuit, le comte parut enfin. Après les premiers échanges de politesses, on n'attendait plus qu'une chose, c'est que la conversation tombât sur ce sujet pour lui donner l'assaut avec un élan unanime et l'amener à revenir, s'il en était encore temps, sur le geste qu'il avait osé. Mais, durant tout le repas, ce fut en vain qu'on attendit ce moment. Évitant avec application tout ce qui pouvait y conduire, il conversa avec le gouverneur sur la guerre et avec le maître des forêts sur la chasse. Quand il évoqua l'engagement de P..., où il avait été blessé, la colonelle l'entreprit au sujet de sa maladie, lui demandant ce qui lui était advenu dans cette petite localité et s'il y avait trouvé les soins convenables à son état. Il conta alors plus d'un trait dont sa passion pour la marquise faisait tout l'intérêt. Il dit comment, pendant toute sa maladie, elle avait été assise à son chevet; comment, dans sa fièvre de blessé, il avait toujours confondu son image avec celle d'un cygne qu'il avait vu, étant enfant, dans le domaine de son oncle. Un souvenir lui était revenu surtout, avec une force particulière : un jour, il avait jeté de la boue à un cygne qui avait plongé en silence et avait reparu, émergeant du flot, dans toute sa blancheur. Il la voyait toujours, elle, nageant çà et là sur des flots de feu, et il l'avait appelée Thinka, — c'était le nom de ce cygne, — mais sans parvenir à l'attirer vers lui, toute à la joie qu'elle avait à ramer en se rengorgeant. Brusquement, le visage empourpré, il l'assura de son immense amour, puis il baissa les yeux sur son assiette et garda le silence. Il fallut bien enfin se lever de table : le comte échangea quelques mots avec la mère, et tout de suite s'inclina devant la compagnie pour regagner sa chambre, laissant là les membres de la famille qui ne savaient que penser.

L'avis du gouverneur était qu'il fallait laisser la chose suivre son cours. Le comte, pour avoir fait ce geste, comptait vraisemblablement sur sa parenté. Sinon, une cassation infamante ne manquerait pas de suivre. Mme de G... demanda à sa fille ce qu'elle pensait enfin de lui. Ne pourrait-elle donc pas consentir à faire quelque déclaration qui éviterait un malheur? « Ma chère maman, répliqua la marquise, ce n'est pas possible. Je suis désolée que ma reconnaissance soit soumise à si dure épreuve. Mais j'avais résolu de ne pas me remarier; je n'ai nulle envie de jouer une seconde fois avec mon bonheur et surtout d'une manière aussi peu réfléchie. » Le forestier observa que, si elle l'entendait ainsi, le comte ne pourrait que faire son profit d'une telle déclaration et qu'à ses yeux, c'était presque une nécessité de lui donner une réponse, de toute façon catégorique.

La colonelle repartit que ce jeune homme, en faveur duquel plaidaient tant de qualités peu communes, avait déclaré vouloir fixer son séjour en Italie. Elle estimait donc que sa demande méritait quelques égards et que la résolution de la marquise devait être examinée de près. Le maître des forêts, s'asseyant auprès d'elle, lui demanda comment elle le trouvait dans sa personne. La marquise, légèrement embarrassée, répondit : « Il me plaît sans me plaire », et elle s'en rapporta au sentiment des autres. — « S'il revient de Naples, dit la colonelle, et si les renseignements que nous recueillerons sur lui d'ici là peuvent concorder avec l'impression générale qu'il t'a faite, dans quel sens te déclarerais-tu, au cas où il renouvellerait sa demande ? » — « Dans ce cas, répliqua la marquise, puisqu'il témoigne d'une si grande ardeur dans ses désirs, je... » — Elle s'arrêta ; elle avait, en parlant, des éclairs dans les yeux : « Ses désirs, à cause de l'obligation que j'ai contractée envers lui, je les exaucerais. » La mère, qui avait toujours souhaité le remariage de sa fille, ne cacha qu'avec peine la joie d'entendre cette déclaration, songeant à tout ce qu'elle contenait de signification. Le maître des forêts se leva brusquement de son siège et dit alors que, pour peu qu'elle pensât à donner un jour au comte la joie de lui accorder sa main, il fallait absolument et tout de suite faire le nécessaire pour conjurer les suites de son extravagance. C'était l'avis de la mère ; elle soutenait qu'il n'y avait pas là, somme toute, un si grand risque à courir : tant de qualités hors de pair, comme celles qu'il avait déployées la nuit où les Russes avaient enlevé la citadelle, ne laissaient que peu de prise à la crainte de le voir, dans le reste de sa vie, ne pas être le même homme. La marquise tenait ses yeux baissés et donnait les marques du trouble le plus vif.

« Sans doute il serait possible », ajouta la mère en lui prenant la main, « de lui donner à entendre que, d'ici son retour de Naples, tu n'as l'intention d'entrer en relations avec personne d'autre. » — « Chère maman, dit la marquise, c'est là une déclaration que je puis lui faire ; je crains seulement qu'elle ne le rassure point et que, pour nous, elle ne complique les choses. » — « J'en fais mon affaire ! repartit la mère avec ravissement. Qu'en dis-tu, Lorenzo ? » demanda-t-elle, tournée vers le gouverneur et se disposant à quitter son siège. Le gouverneur, qui avait tout entendu, debout à la fenêtre, regardait dans la rue et ne disait rien. Le maître des forêts assura qu'il se faisait fort d'éloigner le comte de la maison avec cette déclaration anodine. « Eh bien ! faites, faites, faites ! cria le père en se retournant ; voici qu'il me faut encore une fois me rendre à ce Russe. »

La mère ne fit qu'un bond, embrassa mari et fille et, tandis que le père souriait de son affairement, elle demanda comment on pourrait à l'instant même faire tenir au comte cette déclaration. On décida, comme le proposait le maître des forêts, d'envoyer quelqu'un le prier, au cas où il serait encore habillé, de bien vouloir rejoindre la famille pour un instant. Il fit répondre qu'il allait arriver tout de suite ; à peine le domestique qui l'annonça avait-il paru qu'il entrait dans le salon. La joie donnait des ailes à ses pas ; en proie à la plus intense émotion, il se jeta aux pieds de la marquise. Le gouverneur voulait parler ; mais lui, se relevant, coupa court : il en savait assez ; il lui baisa la main ainsi qu'à la colonelle, serra le frère dans ses bras et lui demanda d'avoir seulement la complaisance de l'aider à trouver tout de suite une chaise de poste. L'émotion de la marquise devant cette scène ne l'empêcha pas de dire : « Je ne crains pas, monsieur le comte, que, sous le coup de ces espérances, vous n'alliez trop loin. » — « Non pas ! Non pas ! » répliqua le comte, « rien ne se sera passé si les renseignements que vous pourrez recueillir sur moi ne concordent pas avec les sentiments qui m'ont rappelé vers vous dans ce salon. »

Le gouverneur lui donna alors la plus cordiale

accolade, le forestier lui offrit sur-le-champ sa chaise de poste personnelle, un chasseur courut à la poste commander des chevaux de grand courrier avec primes, et la joie régna pour ce départ comme elle ne régna jamais pour une réception. Le comte espérait rejoindre ses dépêches à B... ; de là, il prendrait, pour aller à Naples, une route plus courte que par M... À Naples il ferait tout pour que sa mission ne fût pas prolongée sur Constantinople. Résolu, au pis-aller, à se déclarer malade, il affirmait que si d'insurmontables obstacles ne le retenaient pas, il serait de retour sans faute dans un délai de quatre à six semaines. Son ordonnance annonça alors que la voiture était attelée et que tout était prêt pour le départ. Le comte prit son chapeau, s'avança vers la marquise et lui prit la main. « Et maintenant, Julietta », lui dit-il la main dans celle de la marquise, « je me sens relativement plus tranquille, bien que mon vœu le plus tendre fût de vous épouser dès avant mon départ. » — « Vous épouser ! » tel fut le cri de toute la famille. — « Oui, vous épouser ! » répéta le comte. Il lui baisa la main et, comme elle lui demandait s'il avait tous ses esprits, il lui assura qu'un jour viendrait où elle le comprendrait. L'irritation gagnait la famille, mais, lui prit aussitôt congé de tous de la façon la plus chaleureuse, et, priant la marquise de ne pas songer davantage à ce qu'il venait de dire, il s'en fut.

Quelques semaines s'écoulèrent, pendant lesquelles les préoccupations de la famille se partagèrent en des sens très divers sur l'issue de cette singulière aventure. Le gouverneur reçut de l'oncle du comte, le général K..., une lettre courtoise. Quant au comte, il écrivit de Naples. Les renseignements recueillis sur lui ne laissèrent pas d'être favorables. Bref, on considérait déjà les fiançailles comme une chose décidée lorsque, de nouveau, survinrent les malaises de la marquise, plus aigus que jamais. Elle constata sur sa personne d'incompréhensibles changements. Elle s'en ouvrit à sa mère en toute franchise, lui disant ne savoir que penser de son état. La mère, que ces crises si bizarres rendaient extrêmement inquiète sur la santé de sa fille, lui demanda expressément de consulter un médecin. La marquise se hérissa : elle espérait que son tempérament prendrait le dessus. Sans suivre le conseil de sa mère, elle passa encore plusieurs jours dans les souffrances les plus aiguës, et leurs accès incessants, d'un caractère si étrange, la plongèrent enfin dans les plus vives alarmes. Elle fit appeler un médecin qui jouissait de la confiance de son père, le fit asseoir sur le sofa — sa mère était justement absente — et, après un court préambule, lui confessa en plaisantant l'état où elle croyait être. Le médecin lui jeta un regard scrutateur. Après avoir procédé à un examen minutieux, il garda un certain temps le silence, puis, d'un air très sérieux, il répondit à Mme la marquise qu'elle était parfaitement dans le vrai ; elle lui demanda quel sens il donnait à ces mots et, comme il s'en était expliqué clairement en ajoutant, avec un sourire qu'il ne pouvait tout à fait réprimer, qu'elle se portait à merveille et n'avait pas besoin de médecin, elle tira la sonnette, lui jeta de côté un regard fort sévère et le pria de se retirer. À mi-voix, comme s'il n'en méritait pas davantage et ne parlant qu'à elle-même, elle murmura qu'elle n'avait pas envie de plaisanter avec lui sur des sujets de ce genre. Le docteur, un peu froissé, répliqua qu'il avait à souhaiter qu'elle eût toujours été aussi peu d'humeur à plaisanter qu'elle l'était pour l'instant ; il prit sa canne et son chapeau et se disposa à prendre congé. La marquise assura qu'elle mettrait son père au courant de ces paroles offensantes. Le médecin répondit qu'il pouvait en témoigner sous serment devant le tribunal ; il ouvrit la porte et, près de quitter le salon, il s'inclina. Tandis qu'il ramassait un gant qu'il avait laissé tomber, la marquise lui demanda : « Et comment cela fut-il possible, monsieur le docteur ? » Le docteur répliqua qu'il ne jugeait pas nécessaire de lui expliquer à fond pourquoi elle en était là. Il s'inclina encore devant elle et partit.

La marquise demeura comme frappée de la foudre ; elle se dressa d'un bond pour aller au plus vite trouver son père ; pourtant, l'extraordinaire sérieux de cet homme, par qui elle se voyait outragée, paralysa tous ses membres. Dans une agitation extrême, elle se jeta sur le sofa. Par défiance contre elle-même, elle passa en revue tous les moments de l'année écoulée et, en pensant à ce qui venait de lui arriver, elle crut avoir perdu l'esprit. Sa mère parut enfin et, tout effarée, lui demanda la cause de son si grand trouble : elle lui raconta ce que le médecin venait de lui révéler. Mme de G... l'appela un effronté, un polisson, et appuya la résolution de sa fille de mettre le père au fait de cet outrage. La marquise assura qu'il était dans tout son sérieux et paraissait décidé à soutenir la chose sans en démordre à la face de son père. Mme de G... lui demanda, avec une certaine frayeur, si vraiment elle croyait que cela fût possible. « Je croirais plutôt que les tombeaux peuvent être fécondés et que, du sein des cadavres, peut sortir un nouvel être ! » répliqua la marquise. — « Alors, chère et bizarre créature », dit la colonelle en la pressant fortement contre elle, « pourquoi donc ces tourments ? Si la voix de ta conscience est pure, comment se peut-il qu'un jugement — serait-ce celui de tout un concile de médecins — te cause un tel chagrin ? Qu'il ait émis le sien par erreur ou par malignité, est-ce que tu n'en fais pas tout aussi peu de cas ? Pourtant, il est convenable que nous disions tout à ton père. » — « Ô Dieu ! » s'écria la marquise avec un mouvement convulsif, « comment me tranquilliser ? N'ai-je pas contre moi mon propre sentiment intime et qui ne m'est que trop connu ? Si je savais qu'une autre éprouve les mêmes sensations, ne jugerais-je pas la première à son sujet qu'il n'y a pas d'autre explication ? » — « Mais c'est épouvantable », fit la colonelle. — « Malignité ? Erreur ? » poursuivit la marquise. « Quelles raisons peut avoir cet homme, qui jusqu'à ce jour nous a paru digne d'estime, de me mortifier ainsi de gaieté de cœur et d'une façon si humiliante ? Moi qui ne l'ai jamais offensé ? Moi qui l'ai reçu avec confiance et un pressentiment de reconnaissance ? Moi à qui il s'est présenté, comme en témoignèrent ses premières paroles, pour m'assister avec une bonne volonté entière et hors de soupçon, et non pour m'infliger tout de suite des souffrances plus cruelles que celles que j'éprouvais ? Et dans la nécessité de choisir », continua-t-elle pendant que sa mère la fixait des yeux, « si je voulais croire à une erreur, serait-il possible qu'un médecin, même de valeur moyenne, fasse erreur en pareil cas ? » — « Et pourtant », dit la colonelle avec une pointe d'aigreur, « il faut de toute nécessité que ce soit l'un ou l'autre. » — « Oui ! c'est certain, ma très chère mère », repartit la marquise en lui baisant la main avec une expression de dignité blessée, le visage tout empourpré. « Pourtant, les circonstances sont si extraordinaires qu'il m'est permis d'en douter. Je jure, puisqu'il faut ici fournir une garantie, que ma conscience est comme celle de mes enfants ; non, ô ma très vénérée mère, la leur ne peut être plus pure. Néanmoins, je vous en prie, cherchez-moi une sage-femme, de façon que je puisse me convaincre de ce qu'il en est et qu'alors, quoi que ce puisse être, je me trouve rassurée. » — « Une sage-femme ! » s'écria Mme de G... d'une voix scandalisée. « Une conscience pure et une sage-femme ! » Elle n'en put dire davantage. — « Une sage-femme, ma bien chère mère », répéta la marquise en tombant à ses genoux, « et cela tout de suite si vous ne voulez pas que je devienne folle. » — « Oh ! très volontiers », répliqua la colonelle, « seulement je te prierai de ne pas faire tes couches dans ma maison », et elle se leva pour quitter le salon. La marquise qui la suivait, les bras écartés, tomba le visage en avant et embrassa ses genoux. « Si une vie irréprochable », s'écria-t-elle avec l'éloquence de la douleur, « une vie guidée sur votre modèle me donne un droit à votre estime, si quelque sentiment maternel émeut encore vos entrailles, aussi longtemps que ma faute n'est pas mise en pleine lumière ne m'abandonnez pas dans ces moments effroyables. » — « Mais qu'est-ce donc qui te tourmente ? » demanda la mère, « n'est-ce rien d'autre que le verdict du médecin ? rien d'autre que ton sentiment intime ? » — « Rien d'autre, ma mère », répliqua la marquise en posant la main sur sa poitrine. — « Rien, Julietta ? » poursuivit la mère, « songes-y bien. Un faux pas, tout en me causant un chagrin indicible, un faux pas pourrait se pardonner et, à la fin, il faudrait bien que je pardonne ; mais si, pour échapper au blâme de ta mère, tu t'avisais d'inventer une histoire sur le bouleversement des lois naturelles et d'entasser des serments sacrilèges pour imposer à mon cœur trop enclin vraiment à te croire, ce serait une honte et entre nous tout serait fini à jamais. » — « Puisse le royaume du Rédempteur ouvrir devant moi ses portes aussi largement que mon âme s'ouvre devant vous ! » s'écria la marquise. « Mère, je ne vous ai rien caché. » L'accent pathétique de ces paroles ébranla Mme de G... « Ô ciel ! mon enfant chérie ! » s'écria-t-elle, « comme tu m'as remuée ! » Elle la releva et, avec un baiser, la pressa contre son sein. « Mais que crains-tu donc, grand Dieu ? Viens ; tu es très malade. » Et elle voulait la conduire au lit. Mais la marquise, qui versait des torrents de larmes, affirma qu'elle était très bien et ne souffrait de rien que de cet état étrange et incompréhensible ! « Cet état ! » reprit la mère. « Quel état ? Si ta mémoire est si sûre en ce qui touche le passé, quel délire d'angoisse s'est emparé de toi ? Ce sentiment qui, somme toute, ne fait que s'agiter ténébreusement au fond de toi, ne peut-il pas t'abuser ? » — « Non, non ! » dit la marquise, « il ne m'abuse point ! Et si vous voulez bien faire venir la sage-femme, vous apprendrez que la chose effroyable qui me ronge est vraie. » — « Bien, ma chérie », dit Mme de G..., qui commençait à craindre pour sa raison. « Bien ; suis-moi et mets-toi au lit. Que me disais-tu sur les déclarations de ce médecin ? Quel feu sur tes joues ! Comme tu trembles de tous tes membres ! Qu'est-ce donc que le médecin t'a dit ? » Et elle entraînait la marquise avec elle, ne pouvant ajouter foi à toute cette scène qu'elle lui avait racontée... « Chère mère ! Mère si bonne ! » disait la marquise en souriant, les yeux en pleurs. « Je suis dans tout mon bon sens. Le médecin m'a dit que je suis enceinte. Faites venir la sage-femme : elle n'aura qu'à dire que ce n'est pas vrai et je retrouverai le calme. » — « Bien, bien ! » repartit la colonelle, faisant violence à son angoisse, « elle va venir tout de suite ; tu vas la voir tout de suite, si tu veux qu'elle se moque de toi ; elle te dira que tu n'es qu'une visionnaire et que tu n'as pas tous tes esprits. » Tirant alors la sonnette, elle envoya immédiatement un de ses gens chercher la sage-femme.

La marquise se trouvait encore dans les bras de sa mère, la poitrine haletante de fièvre, lorsque arriva cette femme, et la colonelle lui fit connaître les extraordinaires imaginations qui rendaient sa fille malade. Mme la marquise jurait d'être restée vertueuse, et cependant, abusée par une sensation inexplicable, elle jugeait nécessaire de soumettre son état à l'examen d'une femme experte en la matière. La sage-femme, tout en faisant ses investigations, parlait du sang de la jeunesse et de la perfidie du monde. Quand elle eut achevé, elle déclara qu'elle avait déjà vu des cas de ce genre ; les jeunes veuves dans la même situation avaient toutes vécu, à les entendre, dans des îles désertes. Au demeurant, elle rassura Mme la marquise et lui affirma que le gaillard corsaire, débarqué pour la nuit d'amour, finirait bien par se retrouver. À ces mots, la marquise s'évanouit. La colonelle, vaincue par le sentiment maternel, lui fit reprendre ses sens, non sans l'aide de la sage-femme ; mais, dès qu'elle fut revenue à elle, l'indignation l'emporta. « Julietta », cria la mère dans l'exaspération de sa douleur, « veux-tu me dire quel est le père, veux-tu me dire son nom ? » Et elle semblait encore prête à pardonner ; mais la marquise, ayant dit qu'elle allait en perdre la raison, Mme de G... se leva du divan : « Va-t'en ! Va-t'en ! fille de rien ! Maudite soit l'heure où je t'ai mise au monde ! » lui dit-elle. Et elle quitta le salon.

La marquise, qui sentait de nouveau la nuit sur ses paupières, attira la sage-femme vers elle et, secouée de tremblements, posa la tête sur sa poitrine ; elle lui demanda d'une voix brisée quelles sont les lois suivies par la nature et s'il était possible de concevoir en l'ignorant. La sage-femme sourit, lui desserra son châle et répondit que ce n'était sûrement pas le cas de Mme la marquise. « Non, non ! » répliqua celle-ci. Elle avait conçu, elle, en connaissance de cause ; elle voulait seulement savoir en général si ce phénomène était dans l'ordre des choses naturelles. La sage-femme repartit qu'en dehors de la Sainte Vierge, cela n'était encore arrivé à aucune femme sur la terre. La marquise, de plus en plus tremblante, croyant qu'elle allait accoucher sur l'heure, pria la sage-femme de ne pas l'abandonner et se serra contre elle avec une angoisse convulsive. L'autre la tranquillisa ; elle assura que le moment des couches était encore fort éloigné, lui indiqua le moyen d'échapper en pareil cas aux propos malveillants du monde et fut d'avis qu'en somme tout se passerait bien. Mais tous ces propos consolateurs perçaient le cœur de l'infortunée comme autant de coups de poignard ; pourtant elle se ressaisit, déclara qu'elle se sentait mieux et pria son interlocutrice de se retirer.

Elle avait à peine quitté la chambre qu'on apporta à la marquise un billet de sa mère où elle lui signifiait que M. de G... désirait qu'en de telles circonstances elle quittât la maison. Il lui envoyait en même temps les papiers concernant sa fortune et il espérait que Dieu lui épargnerait la douleur de la revoir... La lettre était toutefois baignée de larmes et, dans un coin, se trouvait ce mot brouillé : « Dicté. » Des larmes de désolation jaillirent des yeux de la marquise. Elle gagna l'appartement de sa mère, navrée de l'erreur de ses parents et de l'injustice qui égarait ces deux êtres si bons. On lui dit qu'elle était auprès de son père; chancelante, elle se dirigea vers l'appartement de celui-ci. Elle trouva la porte fermée et s'affaissa sur le seuil en prenant, d'une voix douloureuse, tous les saints à témoin de son innocence. Elle pouvait bien être là depuis quelques minutes, lorsque le maître des forêts sortit et, avec des éclairs dans les yeux, lui dit que le gouverneur, une fois pour toutes, ne voulait pas la voir. « Mon frère chéri ! » s'écria-t-elle au milieu de ses sanglots; puis, pénétrant dans la pièce : « Père tant aimé ! » Et elle tendait les bras vers lui. À sa vue, le gouverneur lui tourna le dos et se hâta de gagner sa chambre. Comme elle l'y suivait : « Hors d'ici ! » cria-t-il. Il voulait faire claquer la porte, mais, gémissante et suppliante, elle l'empêcha de la fermer; il se retira soudain et s'avança rapidement vers le mur du fond, la marquise toujours sur ses pas. Il lui avait tourné le dos et elle venait de se jeter à ses pieds, lui embrassant les genoux, toute tremblante, lorsqu'un pistolet qu'il avait saisi se déchargea au moment où il l'enlevait du mur, et le coup alla percer le plafond avec fracas. « Seigneur de ma vie ! » cria la marquise qui, encore à genoux, se redressa, pâle comme une morte, et se précipita hors de l'appartement. « Qu'on attelle tout de suite ! » dit-elle en rentrant dans sa chambre. Elle s'assit dans un fauteuil, épuisée à mourir, habilla en hâte ses enfants et fit faire les paquets. Elle avait encore son petit dernier entre les genoux et lui passait un châle pour monter en voiture, car tout était prêt pour le départ, lorsque le forestier entra et la mit en demeure, sur l'ordre du gouverneur, de ne pas partir avec les enfants et de les lui laisser. « Les lui laisser ? » demanda-t-elle en se dressant, « dis à ton père sans entrailles qu'il peut venir et m'abattre avec son pistolet, mais non m'arracher mes enfants ! » Trouvant des forces dans l'orgueil de l'innocence, elle mit debout ses petits et, sans que le frère eût osé les retenir, elle les porta dans la voiture et partit.

Ce bel acte d'énergie l'avait révélée à elle-même ; elle se redressa, comme appuyée sur ses propres mains, du fond de ce précipice où le destin l'avait fait rouler. La révolte dont elle était intérieurement déchirée s'apaisa lorsqu'elle fut au grand air ; elle donnait mille baisers à ses enfants, ce cher butin bien à elle, et c'est avec un grand contentement d'elle-même qu'elle songeait à la victoire remportée sur son frère par la force de sa conscience sans tache. Sa raison, assez solide pour tenir devant l'inouï de sa situation, se laissait captiver par ce qu'il y a de grand, de sacré et d'inexplicable dans l'organisation du monde ; elle se rendait compte de l'impossibilité de convaincre sa famille de son innocence ; elle sentait qu'il lui fallait s'en consoler coûte que coûte, à moins de consentir au naufrage, et quelques jours à peine s'étaient écoulés depuis son arrivée à V... que la douleur s'éclipsa totalement devant son héroïque résolution de se cuirasser d'orgueil contre les assauts du monde.

Elle décida de se replier au plus profond d'elle-même, de se consacrer ardemment et sans réserve à l'éducation de ses deux enfants et de vouer la pleine tendresse d'une mère à ce troisième dont Dieu lui avait fait présent. Elle prit ses dispositions pour que sa belle maison de campagne, un peu endommagée à la suite d'une longue absence, fût remise en état en quelques semaines, quand elle serait relevée de ses couches. Assise sous la tonnelle, tout en tricotant de petits bonnets et des bas pour de petites jambes, elle réfléchissait à la façon dont les pièces seraient commodément distribuées : où seraient rassemblés les livres ? Quelle place conviendrait le mieux pour son chevalet ? Et ainsi l'époque où le comte F... devait revenir de Naples n'était pas encore révolue qu'elle s'était déjà toute familiarisée avec son destin, avec cette vie de retraite spirituelle et monacale. Le portier reçut l'ordre de n'admettre personne dans la maison. Seule, une pensée lui était intolérable : c'est que ce jeune être qu'elle avait conçu en toute innocence et en toute pureté et dont l'origine, à cause du mystère plus grand qui l'entourait, avait par cela même une sorte de caractère plus divin que celle des autres hommes, dût porter sur son front une flétrissure dans la société bourgeoise. Un moyen singulier de découvrir le père lui était venu à l'esprit, un moyen dont l'effet fut tel, quand elle y pensa pour la première fois, que, d'épouvante, elle laissa tomber son tricot de ses mains. Pendant les nuits entières qu'elle passait dans l'agitation de l'insomnie, elle le tourna et le retourna pour s'accoutumer à ce qu'il avait en soi de blessant pour sa conscience intime. Elle s'insurgeait toujours à l'idée d'entrer le moins du monde en relations avec l'homme qui avait à ce point abusé d'elle : selon ses inductions, cet homme devait appartenir en fait et sans appel au rebut de son espèce et, en quelque rang social qu'on pût l'imaginer, il ne pouvait qu'être sorti de la boue la plus basse et la plus sordide. Pourtant, le sentiment de son indépendance devenant chez elle toujours plus aigu, comme elle estimait que la pierre garde sa valeur, quelle que soit l'enchâssure où l'on puisse la mettre, elle réunit un matin tout son courage alors que la jeune existence tressaillait à nouveau dans son sein et elle lança dans les annonces du journal de M... le singulier appel qu'on a lu en tête de ce récit.

Le comte F..., que des affaires retenaient impérieusement à Naples, lui avait écrit dans l'intervalle pour la seconde fois, l'invitant à demeurer fidèle à la déclaration implicite qu'elle lui avait faite, quelques circonstances qui pussent survenir du dehors. Dès qu'il eut réussi à se soustraire au prolongement de sa mission sur Constantinople et que ses autres affaires le lui permirent, il s'empressa de quitter Naples et arriva à M... quelques jours seulement après le délai qu'il avait fixé. Le gouverneur le reçut d'un air embarrassé, lui dit qu'un motif urgent le forçait de sortir et pria son fils de lui tenir compagnie en attendant. Le maître des forêts l'emmena dans sa chambre et, après de brèves salutations, lui demanda s'il était au courant de ce qui s'était passé en son absence dans la maison du gouverneur. « Non », lui répondit le comte en pâlissant légèrement. Le forestier lui fit connaître alors la honte dont la marquise avait couvert la famille et lui raconta par le menu ce que nos lecteurs viennent d'apprendre. D'un geste brusque, le comte porta la main à son front. « Pourquoi a-t-on mis tous ces obstacles sur ma route ? » s'écria-t-il, s'oubliant lui-même. « Si le mariage avait eu lieu, on nous eût épargné cet affront et toutes ces épreuves ! » Le forestier lui demanda, en ouvrant sur lui de grands yeux, s'il extravaguait au point de désirer se marier avec cette femme de rien. Le comte répliqua qu'elle avait pour lui plus de prix que le reste du monde qui la méprisait, que ses déclarations d'innocence trouvaient auprès de lui créance entière et que, dès le jour même, il partirait pour V... et renouvellerait sa demande auprès d'elle. Il prit aussitôt son chapeau, salua le maître des forêts qui le considérait comme ayant totalement perdu l'esprit, et il s'en fut.

Il monta à cheval et partit pour V... au galop. Il descendit à la porte, et, quand il voulut pénétrer dans l'avant-cour, le portier lui dit que Mme la marquise n'était visible pour personne. Le comte demanda si cette mesure, prise à l'égard des étrangers, s'appliquait aussi à un ami de la maison ; l'autre repartit qu'on ne lui avait parlé d'aucune exception, sur quoi il ajouta d'un ton équivoque : « Ne seriez-vous pas, par hasard, le comte F... ? » — « Non ! » répliqua le comte en le sondant du regard. Et, tourné vers son ordonnance, mais de façon à être entendu du portier, il dit que, puisqu'il en était ainsi, il descendrait à l'hôtel et écrirait à la marquise pour s'annoncer. Mais, dès qu'il fut hors de la vue du portier, il tourna au coin d'une rue et se faufila le long du mur d'un vaste jardin qui s'étendait derrière la maison. Il entra dans le jardin par une petite porte qu'il trouva ouverte et longea les allées ; il allait gravir le perron intérieur lorsque, sur le côté, sous une tonnelle, il aperçut la silhouette, gracieuse et voilée de mystère, de la marquise, tout occupée à travailler à une petite table. Il s'approcha d'elle, de telle façon qu'elle ne pût l'apercevoir avant qu'il se trouvât éloigné d'elle de trois pas à peine à l'entrée de la tonnelle.

« Le comte F... ! » fit-elle en levant les yeux, et le rouge de la surprise inonda son visage. Le comte souriait, et il resta encore un moment immobile dans l'entrée ; puis il s'assit auprès d'elle avec un sans-gêne mêlé de tant de réserve qu'elle n'eut pas à s'effaroucher et, avant que, dans une situation aussi étrange, elle eût pu savoir que faire, délicatement il passa son bras avec tendresse autour de sa taille. « D'où venez-vous, monsieur le comte ? Est-ce possible ? » demanda-t-elle, les yeux timidement baissés vers la terre. « De M... », dit le comte en l'attirant vers lui dans une étreinte très douce, « et par une porte de derrière que j'ai trouvée ouverte. J'ai cru pouvoir compter sur votre pardon et je suis entré. » — « On ne vous a donc rien dit à M... ? » dit-elle, demeurant encore dans ses bras sans le moindre mouvement. « Tout, ma bien-aimée », répliqua le comte, « et cependant je reste absolument convaincu de votre innocence... » — « Comment ! » s'écria la marquise, qui se mit debout et se dégagea. « Et cela ne vous empêche pas de venir ?... » — « En dépit du monde », continua-t-il, en la retenant d'une main ferme. — « En dépit de votre famille ? » — « En dépit même de cette délicieuse apparition. » Et il appuya ses lèvres brûlantes sur sa poitrine. — « Partez d'ici ! » cria la marquise. « Aussi convaincu, Julietta », poursuivit-il, « que si je savais tout et que si mon âme habitait dans ta poitrine. » — « Laissez-moi ? » cria la marquise. — « Je viens », acheva-t-il sans la lâcher, « je viens renouveler ma demande et recevoir de votre main le sort des bienheureux si vous voulez bien m'exaucer. » — « Laissez-moi à l'instant, je vous l'ordonne ! » Elle s'arracha violemment de ses bras et s'enfuit. « Ma chérie, ma délicieuse », murmura-t-il en se levant, et il la suivit. — « Vous m'entendez ? » s'écria la marquise en se retournant dans sa fuite. — « Rien qu'un murmure glissé à l'oreille... » fit le comte en saisissant son bras dont la peau satinée glissa sous sa main avide. — « Non, tout est inutile », répliqua la marquise, qui, d'un geste violent, écarta le comte, monta les degrés en hâte et disparut.

Il était déjà au milieu du perron, voulant coûte que coûte se faire entendre d'elle, lorsque la porte claqua devant lui, et le bruit métallique d'un verrou fermé avec force, dans une précipitation éperdue, suspendit ses pas. Il demeura un instant incertain du parti à prendre en pareille situation, et il se demanda s'il n'allait pas monter dans la maison par une fenêtre restée ouverte sur le côté et poursuivre son but jusqu'à ce qu'il l'eût atteint. Mais, si pénible qu'il fût pour lui, dans tous les sens, de battre en retraite, il lui sembla cette fois que la nécessité l'exigeait et, plein de l'amer dépit de ne l'avoir point retenue dans ses bras, il descendit furtivement le perron et quitta le jardin pour aller chercher ses chevaux. Il sentait que la tentative de lui parler cœur à cœur avait échoué sans retour et il revint au pas à M... en réfléchissant à la lettre qu'il était dès lors condamné à écrire.

Dans la soirée, s'étant trouvé à une table d'hôtel dans l'humeur la plus exécrable du monde, il rencontra la maître des forêts qui lui demanda sans préambule si sa démarche avait eu un heureux résultat à V... Le comte répondit sèchement : « Non ! », bien résolu à l'éconduire sans plus de façons ; cependant, en manière de politesse, il ajouta un moment après qu'il était décidé à s'adresser à elle par écrit et qu'ainsi il ne tarderait pas à être fixé. Le forestier lui dit alors qu'il voyait avec regret sa passion pour la marquise lui enlever tout sang-froid ; au demeurant, il devait lui donner l'assurance qu'elle était déjà en passe de faire un autre choix. Il sonna pour avoir les journaux et lui tendit la feuille où se trouvait insérée l'invitation qu'elle adressait au père de son enfant.

Le comte parcourut ces lignes, un flot de sang au visage, le cœur partagé entre des sentiments contraires. Le forestier lui demanda s'il ne croyait pas que l'on trouverait la personne que recherchait la marquise. « Sans aucun doute », répliqua le comte, fixé de toute son âme sur ce papier dont il buvait le texte avidement. Tout en pliant le journal, il se mit un instant à la fenêtre, puis il dit : « Maintenant, tout va bien ! Maintenant, je sais ce que j'ai à faire ! » Il se retourna et demanda au forestier, avec beaucoup de courtoisie, s'il le reverrait bientôt ; il le salua et s'en alla, pleinement réconcilié avec son destin...

Sur ces entrefaites, les scènes les plus vives s'étaient déroulées dans la maison du gouverneur. La colonelle était aigrie au plus haut point des violences si funestes de son mari et de la faiblesse avec laquelle elle s'était laissé imposer par lui l'expulsion tyrannique de sa fille. Lorsque le coup de pistolet était parti dans la chambre du gouverneur et que sa fille en était sortie éperdue, elle était tombée évanouie pour reprendre d'ailleurs bientôt ses sens ; mais, quand elle était revenue à elle, le gouverneur s'était borné à lui dire qu'il regrettait pour elle cette vaine frayeur, et il avait jeté le pistolet déchargé sur une table. Plus tard, quand il avait été question de réclamer les enfants, elle avait osé déclarer timidement qu'on n'avait aucun droit d'agir ainsi ; d'une voix touchante et affaiblie par ce malaise, elle demandait qu'on évitât dans la maison des scènes violentes, à quoi le gouverneur ne répondit qu'en se tournant avec une colère folle vers le maître des forêts pour lui dire : « Va-t'en me les chercher ! » Quand arriva la seconde lettre du comte, le gouverneur avait donné l'ordre de la faire suivre à V..., à l'adresse de la marquise qui, comme on l'apprit ensuite par le messager, l'avait mise de côté en lui disant : « C'est bien ! » La colonelle, qui trouvait tant de choses obscures dans tout cet événement, et en particulier ce fait que la marquise se montrait disposée à un nouveau mariage avec un fond de parfaite indifférence, essayait vainement d'amener la conversation sur ce sujet. Le gouverneur la priait toujours de se taire, sur un ton qui était plutôt celui d'un ordre. Un jour entre autres, en décrochant un portrait de sa fille resté au mur, il affirma son désir d'abolir en lui tout souvenir d'elle et déclara qu'il n'avait plus de fille. Là-dessus parut dans les journaux l'étrange appel de la marquise. La colonelle, toute bouleversée, prit la feuille que le gouverneur lui avait envoyée et se rendit dans son cabinet où il était en train de travailler à son bureau. Elle lui demanda de lui dire par grâce ce qu'il en pensait. « Oh ! elle est innocente ! » lui dit le gouverneur sans cesser d'écrire. — « Comment ! » s'écria-t-elle, au comble de l'étonnement. « Innocente ? » — « Oui, c'est en dormant qu'elle a fait cela », fit-il sans lever les yeux. — « En dormant ! » répliqua sa femme. « Une chose aussi inouïe serait... ! » — « La folle ! » s'écria la gouverneur, qui bouscula ses papiers et s'en alla.

Quand parut le numéro suivant du journal, tandis qu'ils prenaient tous deux leur déjeuner du matin, la colonelle lut la réponse suivante dans une feuille d'annonces qui sortait, encore tout humide, de la presse : « Si Mme la marquise d'O... veut bien se trouver le 3... à onze heures du matin, dans la maison de M. de G..., son père, celui qu'elle cherche y sera pour se jeter à ses pieds. »

La colonelle n'avait pas encore lu la moitié de ces lignes fantastiques qu'elle resta sans voix : elle parcourut le reste du regard et tendit la feuille au gouverneur. Le colonel lut entièrement par trois fois, comme s'il n'en croyait pas ses yeux. « Maintenant, au nom du ciel, Lorenzo, dis-moi : qu'en penses-tu ? » s'écria la marquise. — « Oh ! la misérable ! » répliqua le gouverneur en se levant, « la madrée hypocrite ! dix fois l'impudence d'une chienne unie à dix fois la ruse du renard n'atteignent pas encore à ce qu'elle est ! Un pareil minois ! Une paire d'yeux comme les siens ! Un chérubin n'en a pas de plus candides ! » Et il gémissait sans pouvoir s'apaiser. « Mais de grâce », demanda la colonelle, « si ce n'est qu'une ruse, quel peut en être le but ? » — « Le but ? Sa vile duplicité ; elle veut avoir le dernier mot en nous faisant violence ; ils l'ont apprise déjà par cœur, la fable que tous les deux, elle et lui, veulent nous faire accroire ici le 3, à onze heures du matin : ma chère petite fille, devrai-je dire, je ne savais pas tout cela... est-ce qu'on pouvait s'imaginer... Pardonne-moi, reçois ma bénédiction et reviens à nous. Une balle plutôt pour celui qui, le 3 au matin, franchira mon seuil ! Il serait d'ailleurs plus convenable que je le fasse jeter à la porte par nos gens... » Mme de G... relut encore la feuille et dit que, s'il fallait ajouter foi à l'une ou à l'autre de deux choses inconcevables, elle aimait mieux croire à un caprice inouï du destin plutôt qu'à cette indignité d'une fille, pour le reste irréprochable. Mais elle n'avait pas encore achevé que le gouverneur s'écria, en quittant la chambre : « Fais-moi le plaisir de te taire ; rien que d'en entendre parler, cela m'horripile. »

Peu de jours après, le gouverneur reçut de la marquise une lettre relative à cette publication. Puisqu'il lui refusait la grâce de la laisser reparaître chez lui, elle lui demandait, d'une manière respectueuse et touchante, de bien vouloir lui adresser à V... l'homme qui se présenterait chez lui dans la matinée du 3. Justement, la colonelle était là quand il reçut cette lettre. Elle lut clairement sur son visage qu'il y avait quelque chose de flottant dans ses impressions, car, s'il y avait machination de la part de sa fille, quel motif pouvait-il lui attribuer, du moment qu'elle ne manifestait aucune prétention à se faire pardonner ? Aussi, s'étant enhardie, elle mit en avant un plan qu'elle gardait depuis longtemps par devers elle au milieu des doutes qui agitaient son âme. Tandis que le colonel fixait encore sur le papier un regard sans expression, elle lui dit qu'elle avait une idée. Voudrait-il lui permettre de se rendre à V... pour un ou deux jours ? Au cas où la marquise connaîtrait déjà réellement celui qui lui avait répondu par la voie des journaux comme un inconnu, elle saurait l'amener à trahir son cœur, quand bien même elle serait la plus experte qui fût en matière de trahison. Le gouverneur répliqua, en déchirant soudain la lettre d'un geste furieux, qu'elle savait bien qu'il ne voulait plus avoir affaire à elle et qu'il s'opposait à ce que la mère eût avec sa fille quoi que ce fût de commun. Il cacheta les morceaux déchirés de la lettre, y écrivit l'adresse de la marquise et les remit au messager en guise de réponse.

La colonelle, sourdement exaspérée d'un entêtement aussi buté qui coupait court à toute possibilité d'éclaircissement, prit le parti d'exécuter son plan tout de suite, à l'encontre de son mari. Elle prit avec elle un des chasseurs du gouverneur, et, dès le lendemain matin, pendant qu'il était encore au lit, elle partit avec lui pour V... Quand elle arriva à la porte de la villa, le portier lui dit que personne n'était admis auprès de Mme la marquise. Mme de G... répondit qu'elle n'ignorait pas ces dispositions ; néanmoins, elle le priait d'aller seulement annoncer sa visite. L'autre repartit que c'était peine perdue, Mme la marquise ne recevant personne au monde. « Elle me recevra parce que je suis sa mère », répliqua Mme de G..., et elle le pria simplement de ne pas tarder davantage à faire son office.

Mais à peine le portier était-il entré dans la maison pour faire cette tentative, à l'entendre tout à fait inutile, que l'on vit la marquise en sortir, courir à la porte et tomber à genoux devant la voiture de la colonelle. Mme de G... mit pied à terre, aidée de son chasseur et, non sans quelque émotion, releva la marquise qui, dominée par la force de ses sentiments, se baissa profondément pour lui prendre la main et la conduisit avec le plus grand respect chez elle en versant des flots de larmes. « Mère bien-aimée ! » s'écria-t-elle, après l'avoir fait asseoir sur le sofa. Elle restait debout devant elle et s'essuyait les yeux. « Quel heureux événement me vaut le bonheur sans prix de vous voir ici ? » Mme de G..., la serrant tendrement dans ses bras, répondit que tout ce qu'elle avait à lui dire, c'est qu'elle venait pour lui demander pardon de la dureté avec laquelle elle avait été chassée de la maison paternelle — « Pardon ! » s'écria la marquise, en lui coupant la parole et en cherchant à lui baiser les mains. Mais elle les retira et poursuivit : « En dehors de ce fait que la réponse parue dans les derniers journaux à ton fameux avis nous a donné, à moi aussi bien qu'à ton père, la conviction de ton innocence, je ne dois pas te cacher que " lui " en personne, à notre grand et joyeux étonnement, s'est déjà présenté hier à la maison. » — « Qui donc s'est... » demanda la marquise en s'asseyant près de sa mère, tous les traits de son visage tendus d'anxiété, « qui s'est présenté en personne ? » — « Lui, l'auteur de cette réponse, reprit Mme de G... Lui-même, en personne, celui à qui ton appel était adressé. » — « Alors, fit la marquise, dont l'émotion soulevait la poitrine, qui est-ce ? Qui est-ce ? » fit-elle encore. — « Cela, je voudrais te le laisser à deviner. Figure-toi qu'hier, tandis que nous prenions le thé en lisant justement cet invraisemblable journal, un homme qui nous est connu de très près se précipite dans la pièce avec des gestes de désespoir, tombe aux pieds de ton père et, bientôt après, à mes pieds. Ne sachant que penser, nous l'invitons à parler. Il nous dit alors que sa conscience ne lui laisse aucun repos, que c'est lui le misérable qui a abusé de toi, qu'il ne peut ignorer comment on qualifie son crime et que, si son acte crie vengeance, il est venu pour s'y offrir lui-même » — « Mais qui est-ce ? Qui ? qui ? » répliqua la marquise. — « Comme je te l'ai dit, poursuivit sa mère, c'est un homme jeune, au demeurant bien élevé, que nous n'aurions jamais cru capable d'une pareille indignité. Pourtant, il ne faut pas t'effrayer, ma fille, d'apprendre qu'il est de basse condition et dépourvu de tout ce que, dans un autre cas, on pourrait exiger de celui qui serait ton époux. » — « N'importe, ma toute bonne mère, il ne peut en être tout à fait indigne, puisqu'il s'est jeté d'abord à vos pieds plutôt qu'aux miens. Mais qui est-il ? Qui ? Dites-moi seulement qui est-ce ? » — « Eh bien ! repartit la mère, c'est Leopardo, le chasseur que ton père a fait venir du Tyrol récemment et que, comme tu as pu le voir, j'amène avec moi pour te le présenter comme ton fiancé. » — « Leopardo, le chasseur ! » s'écria la marquise, la main appuyée sur son front, dans un geste de désespoir. — « Pourquoi t'effrayer ? demanda la colonelle. As-tu des raisons d'en douter ? » — « Comment ? Où ? Quand ? » fit la marquise égarée. — « Cela, il ne veut le confier qu'à toi. La honte et l'amour, a-t-il dit, lui rendent impossible de s'en expliquer avec une autre qu'avec toi. Pourtant, si tu veux, nous ouvrirons l'antichambre où, le cœur battant, il attend ce qui va se passer, et, pendant que je me serai retirée, tu verras bien si tu peux lui arracher son secret. » — « Dieu, mon père ! » s'exclama la marquise, « un jour que je m'étais assoupie dans la chaleur de midi, en me réveillant, je l'ai vu s'éloigner de mon divan ! » Et elle couvrit alors de ses mains fines son visage empourpré de honte. À ces mots, sa mère tomba à genoux devant elle. « Ô ma fille ! cria-t-elle, ô exquise créature ! » Et elle l'enlaça de ses bras ; puis, se cachant le visage contre ses genoux : « Et moi, quelle indignité ! » — « Qu'avez-vous, ma mère ? » demanda la marquise, confondue. — « Comprends donc, reprit la mère, ô toi, plus pure que ne le sont les anges, que, de tout ce que je t'ai dit, il n'y a rien de vrai, que mon âme, dans sa perversité, ne pouvait croire à une innocence comme celle qui rayonne de toi et que, pour m'en convaincre, il m'a fallu d'abord user de cet artifice honteux. » — « Ma mère chérie ! » s'écria la marquise, qui, voulant la relever, se pencha vers elle avec une émotion toute joyeuse. Mais elle : « Non ! je veux rester à tes pieds jusqu'à ce que tu me dises, magnifique et surhumaine créature, si tu peux me pardonner la bassesse de ma conduite... » — « Moi, vous pardonner, ma mère ! Levez-vous, je vous en conjure. » — « Tu entends, dit Mme de G..., je veux savoir si tu peux m'aimer encore, avec les mêmes sentiments de respect sincère que par le passé ? » — « Mère adorée ! » s'écria la marquise, en s'agenouillant à son tour devant elle, « le respect et l'amour n'ont jamais quitté leur place dans mon cœur. Qui pouvait m'accorder sa confiance, dans des circonstances à ce point inouïes ? Comme je suis heureuse de vous voir convaincue que je ne suis nullement coupable ! » — « Eh bien ! donc », répliqua Mme de G..., qui se releva avec l'aide de sa fille, « je veux maintenant te choyer comme un enfant, ma petite chérie. C'est chez moi que tu feras tes couches et, si les circonstances voulaient que j'attendisse de toi un jeune prince, je ne saurais te soigner avec plus de tendresse et d'égards. Tous les jours de ma vie, je les passe désormais auprès de toi. Je brave le reste du monde ; j'entends n'avoir plus d'autre honneur que ta honte, si toutefois tu veux bien me rendre ton affection et oublier la dureté avec laquelle je t'ai repoussée. » La marquise cherchait à la consoler avec des caresses et des serments sans fin ; mais le soir vint et minuit sonna sans qu'elle y fût arrivée. Le lendemain, comme la vénérable dame se trouvait un peu remise de son émotion qui lui avait valu, pendant la nuit, un accès de fièvre, la mère, la fille et les petits-enfants repartirent pour M... comme en triomphe. Enthousiasmées de leur voyage, elles plaisantaient sur Leopardo, le chasseur, assis en avant sur le siège, et la mère disait à la marquise qu'elle la voyait rougir chaque fois qu'elle regardait son large dos. La marquise répondait, avec une expression qui était à la fois soupir et sourire : « Qui sait qui va se présenter chez nous le 3, à onze heures du matin ?... »

Plus on s'approchait de M..., plus elles retombaient l'une et l'autre dans leurs préoccupations, au pressentiment des autres scènes décisives qu'elles allaient vivre. Mme de G..., ne laissant rien paraître de ses plans, ramena à son ancien appartement sa fille descendue avec elle devant la maison ; elle lui dit de se mettre tranquillement à son aise : quant à elle, elle reviendrait bientôt la rejoindre, et elle s'éclipsa. Une heure après, elle revint, le feu aux joues. « Non, c'est un vrai saint Thomas ! » dit-elle, l'âme intérieurement satisfaite ; « un vrai saint Thomas incrédule ! Ne m'a-t-il pas fallu une heure d'horloge pour le convaincre ! Mais maintenant, il est assis, en train de pleurer. » — « Qui ? » demanda la marquise. — « Lui », répondit la mère. « Quel autre que celui qui en a les plus grands motifs ? » — « Ce n'est tout de même pas mon père ? » fit la marquise. — « Comme un enfant, répliqua la mère, si bien que, si je n'avais pas dû essuyer les larmes de mes yeux, j'aurais ri, après avoir à peine franchi le seuil. » — « Et cela, à cause de moi », demanda la marquise en se levant, « et il faudrait que moi, ici... ? » — « Ne bougeons pas, dit Mme de G... Pourquoi m'a-t-il dicté la lettre ? C'est ici qu'il viendra te chercher, toi, s'il veut me retrouver, mais aussi longtemps que je vivrai... » — « Mère chérie... » supplia la marquise. — « Je reste inexorable ! interrompit la colonelle. Pourquoi a-t-il saisi le pistolet ? » — « Mais je vous adjure... » — « Tu ne bougeras pas », répliqua Mme de G... en forçant sa fille à se rasseoir. « Et, s'il ne vient pas dès avant ce soir, je partirai demain avec toi. » La marquise déclara cette attitude dure et injuste. « Tranquillise-toi », lui répliqua sa mère, qui, à ce moment, entendait de loin quelqu'un venir en sanglotant. « Le voici qui vient ! » — « Où ? » demanda la marquise en tendant l'oreille. « Y a-t-il quelqu'un là, derrière la porte ? Ce bruit ?... » — « Mais, bien sûr », reprit Mme de G..., « il veut que nous lui ouvrions la porte. » — « Laissez-moi ! » cria la marquise, et elle s'arracha de son fauteuil. Mais la colonelle : « Si tu m'aimes, Julietta, reste ici ! » Et, au même instant, apparut le gouverneur, tenant son mouchoir sur les yeux. La mère se carra devant sa fille et tourna le dos à son mari : « Mon père chéri ! » cria la marquise, en lui tendant les bras. « Ne fais pas un pas, tu entends ! » dit Mme de G... Debout dans la pièce, le gouverneur pleurait. « Il te doit des excuses », poursuivit-elle. « Pourquoi est-il si violent ? Et pourquoi si entêté ? Je l'aime, mais je t'aime aussi ; j'ai pour lui du respect, mais pour toi également. Et, si je dois faire mon choix, tu lui es supérieure en bonté et je reste avec toi. » Le gouverneur, courbé en deux, gémissait à faire trembler les cloisons. « Hélas ! mon Dieu ! » fit la marquise qui, cédant soudain à sa mère, prit son mouchoir pour donner, elle aussi, libre cours à ses pleurs. « Il ne peut même pas parler ! » dit Mme de G..., qui se plaça un peu de côté. Alors la marquise se dressa, prit le gouverneur dans ses bras et le pria de reprendre son calme. Elle pleurait elle-même à chaudes larmes. Elle lui demanda s'il ne voulait pas s'asseoir ; elle voulut le placer sur un siège ; elle lui poussa un siège pour qu'il s'assît, mais il ne répondait pas ; nul moyen de le faire bouger de place ; il ne s'asseyait pas davantage ; il restait figé, laissant tomber sa tête vers la terre, et il pleurait. La marquise l'aidait à se tenir debout, à demi tournée vers sa mère, disant qu'il allait en devenir malade ; la mère elle-même semblait sur le point de se laisser attendrir, en voyant ces tremblements convulsifs. Pourtant, quand le gouverneur se fut enfin assis, sur les instances répétées de sa fille, et que celle-ci, lui prodiguant les caresses, fut tombée à ses pieds, elle prit à nouveau la parole, en disant que tout cela devait arriver et qu'il finirait bien par revenir à la raison, puis elle s'éloigna de la chambre, les laissant seuls.

Dès qu'elle fut sortie, elle essuya ses propres larmes et se demanda si les violentes émotions où elle avait plongé son mari ne pourraient tout de même pas avoir des suites fâcheuses et s'il ne serait pas assez à propos de faire venir un médecin. Elle lui fit pour le soir, dans la cuisine, un repas de tout ce qu'elle put réunir de réconfortant et de calmant, prépara et bassina son lit pour le faire coucher dès qu'on le verrait paraître, tenant sa fille par la main, et comme il ne venait toujours pas et que déjà la table était mise pour le souper, elle se glissa jusqu'à la chambre de la marquise, pour entendre en fin de compte ce qui se passait. L'oreille délicatement collée à la porte, elle écouta et perçut les tout derniers mots d'un léger chuchotement qui lui sembla venir de la marquise. Par le trou de la serrure, elle aperçut la fille sur les genoux de son père, ce qu'il n'avait jamais encore admis de sa vie. Elle ouvrit enfin la porte et, le cœur tout débordant de joie, elle vit la marquise silencieuse, la nuque ployée en arrière, les yeux tout à fait clos, affaissée dans les bras de son père. Et lui, assis dans le fauteuil, ouvrant de grands yeux brillants de larmes, posait sur sa bouche de longs baisers brûlants et avides comme un véritable amoureux ! Sa fille se taisait et lui se taisait aussi ; il restait assis, le visage penché sur elle, comme sur la jeune fille de son premier amour, et il lui tournait la tête pour l'embrasser encore. La mère était aux anges ; sans être vue, debout derrière le fauteuil, elle hésitait à troubler la joie, la félicité célestes que cette réconciliation ramenait à son foyer. Elle s'approcha enfin du père et, se penchant de part et d'autre du siège, elle le regarda de côté, tandis qu'avec un bonheur indicible, il caressait des doigts et des lèvres la bouche de sa fille. À sa vue, le gouverneur changea de visage ; il reprit tout de suite son air renfrogné, et il voulut parler, mais elle s'écria : « Qu'est-ce que cette figure ! » Elle se mit à l'embrasser, elle aussi, à son tour, et, d'un mot plaisant, elle calma toutes ces émotions. Elle les invita à venir à table, et tous deux la suivirent, tels des fiancés ; le gouverneur se montra certes très gai, la gorge pourtant serrée de temps à autre ; il mangeait et parlait peu, regardait dans son assiette et jouait avec la main de sa fille...

Or donc, le jour suivant, dès le matin, se posa la question : qui pourrait bien, grand Dieu ! se présenter le lendemain à onze heures ? Car le lendemain, c'était le 3 tant redouté. Le père et la mère, le frère qui les avait rejoints, réconcilié lui aussi, étaient d'accord sans réserves pour le mariage, pour peu que la personne fût de condition acceptable. Tout ce qu'il y avait de possible au monde devait être fait afin d'assurer à la marquise une situation heureuse. Si, pourtant, l'état de cet homme était tel qu'il dût rester de beaucoup inférieur à celui de la marquise, même si l'on intervenait pour le relever, les parents s'opposaient à cette union : leur résolution était alors de garder la marquise auprès d'eux, comme devant, et d'adopter l'enfant. Par contre, la marquise semblait vouloir, en pareil cas, tenir pleinement sa parole, pourvu que l'homme ne fût pas perdu de réputation, et donner, coûte que coûte, un père à son enfant. Le soir, la mère demanda comment on allait s'y prendre pour la réception. Le gouverneur était d'avis que ce qui conviendrait le mieux serait de laisser la marquise seule à onze heures. Par contre, la marquise insista pour que ses parents, ainsi que son frère, fussent présents, car elle ne voulait avoir aucune espèce de secret avec le personnage. Elle estimait, de plus, que ce désir semblait même exprimé dans la réponse qu'il avait faite, puisqu'il avait proposé la maison du gouverneur pour la rencontre : circonstance à cause de laquelle cette réponse — elle devait l'avouer sans détours — lui avait justement beaucoup plu. La mère fit observer ce qu'avaient de risqué les rôles que le père et le frère auraient à jouer dans la scène, et elle pria sa fille de permettre aux deux hommes de s'en éloigner. En revanche, selon son désir, elle ne refusait pas d'assister à la réception. Sa fille réfléchit un peu, puis cette dernière proposition fut enfin acceptée.

Là-dessus, on vit paraître, après une nuit passée dans une fiévreuse attente, l'aube de ce jour redouté. Sur le coup de onze heures, les deux femmes étaient assises dans le grand salon, en toilette de cérémonie, comme pour des fiançailles ; le cœur leur battait si fort qu'on eût pu l'entendre, si les bruits du jour s'étaient tus. Le onzième coup résonnait encore lorsque entra Leopardo, le chasseur que le père avait fait venir du Tyrol. En le voyant, elles pâlirent. « La voiture du comte F..., dit-il, est devant la porte, et il fait annoncer sa visite. » — « Le comte F... ! » s'écrièrent-elles en même temps, jetées d'un premier affolement dans un autre. « Fermez les portes ! s'exclama la marquise. Pour lui, nous ne sommes pas là ! » Elle se leva, pour tirer tout de suite elle-même le verrou, et elle allait pousser dehors le chasseur planter devant elle, quand le comte entra, allant vers elle, en uniforme de campagne, avec armes et décorations, dans la même tenue qu'il avait lors de la prise du fort. Égarée, la marquise crut que la terre cédait sous elle ; elle prit un châle qu'elle avait laissé sur son fauteuil, et elle voulait s'enfuir dans une chambre voisine ; mais Mme de G..., lui saisissant la main, cria : « Julietta !... » Et, comme si ses pensées l'avaient suffoquée, elle resta sans mot dire.

Les yeux obstinément fixés sur le comte, elle répéta : « Julietta ! je t'en prie », et elle l'entraîna derrière elle. « Qui attendons-nous donc ?... »

La marquise se détourna brusquement : « Eh bien ! quoi ! ce n'est tout de même pas lui ?... » s'écria-t-elle, en lui lançant un regard étincelant comme un éclair d'orage, tandis qu'une pâleur de mort envahissait son visage.

Le comte avait plié un genou devant elle ; la main droite posée sur son cœur, la tête légèrement inclinée sur sa poitrine, il restait ainsi, abaissant ses regards pleins de flamme et gardant le silence. « Qui serait-ce ? » s'écria la colonelle d'une voix oppressée, « qui serait-ce, insensées que nous sommes, si ce n'est pas lui ? » La marquise, debout au-dessus de lui et sans faire un mouvement : « Mère, j'en perdrai la raison ! » dit-elle. — « Sotte que tu es ! » répliqua la mère, qui l'attira vers elle et lui murmura quelque chose à l'oreille.

La marquise se détourna et, le visage caché dans ses mains, se laissa tomber sur le sofa. « Malheureuse ! s'écria la mère. Qu'as-tu donc ? Qu'est-il donc arrivé à quoi tu n'étais pas préparée ? »

Le comte restait, sans bouger, à côté de la colonelle ; toujours à genoux, il saisit le bas de sa robe et y porta ses lèvres. « Ô chère dame, si bonne et digne de tous les respects ! » murmura-t-il, et une larme roula sur ses joues. « Relevez-vous, monsieur le comte, relevez-vous ! » dit la colonelle. « Consolez-la, et ainsi nous serons tous réconciliés ; ainsi tout sera pardonné et oublié. » Le comte, en larmes, se releva. De nouveau, il tomba aux pieds de la marquise ; il lui prit la main doucement, comme si c'était une main d'or et que la moiteur de ses doigts eût été capable de la ternir. Mais elle : « Partez ! partez ! partez ! s'écria-t-elle en se levant. C'est un être vicieux que je m'attendais à voir, mais non un... démon d'enfer. » En s'écartant de lui comme d'un pestiféré, elle ouvrit la porte du salon et dit : « Appelez le colonel ! » — « Julietta ! » fit la colonelle, stupéfaite. Les yeux de la marquise, pleins d'une fureur mortelle, se portaient tantôt sur le comte, tantôt sur sa mère ; sa poitrine haletait, son visage flamboyait : des yeux de Furie n'ont rien de plus effrayant. Le colonel et le maître des forêts arrivèrent : « Père, dit-elle, quand ils étaient encore dans l'entrée, avec cet homme-là, il m'est impossible de me marier ! »

Elle plongea sa main dans un vase d'eau bénite fixé à la porte du fond, aspergea d'un grand geste son père, sa mère et son frère et disparut.

Le gouverneur, abasourdi par cette scène extraordinaire, demanda ce qui s'était passé, et il pâlit de voir le comte F... dans le salon, à un moment aussi décisif. La mère prit la main du comte et dit : « Point de questions ! ce jeune homme déplore de tout son cœur ce qui est arrivé. Donne-lui ta bénédiction, donne-la, donne... et tout cela finira heureusement. » Le comte était debout, comme anéanti. Le gouverneur posa la main sur lui, les paupières palpitantes, les lèvres d'une blancheur de marbre. « Puisse la malédiction céleste s'écarter de cette tête ! s'écria-t-il ; quand pensez-vous l'épouser ? » — « Demain », répondit pour lui la mère, car il ne pouvait proférer un seul mot, « demain ou aujourd'hui, comme tu veux. M. le comte, qui a montré un si bel empressement à réparer sa vilaine action, préférera sûrement de beaucoup que ce soit au plus tôt. » — « Alors, j'aurai le plaisir de vous retrouver demain à onze heures à l'église des Augustins », fit le gouverneur, qui s'inclina devant lui, appela sa femme et son fils pour se rendre dans la chambre de la marquise et le laissa seul.

C'est en vain qu'ils s'efforcèrent d'obtenir de la marquise l'explication de son étrange conduite : prise d'une fièvre intense, elle ne voulait absolument rien entendre au sujet de ce mariage et priait qu'on la laissât en repos. Quand on lui demandait pourquoi elle avait si subitement changé de résolution et ce qui lui rendait le comte plus haïssable que tout autre, elle regardait son père avec de grands yeux vides et ne répondait rien. Avait-elle oublié qu'elle était mère ? À cette question de la colonelle, elle répliqua que, dans la circonstance, elle devait penser plus à elle qu'à son enfant et, prenant encore à témoin les anges et les saints, elle affirma hautement qu'elle ne se marierait pas. Le père, qui la voyait dans un état de surexcitation manifeste, déclara qu'elle devait tenir sa parole ; il la quitta et prit tous les arrangements pour le mariage, après s'en être entretenu par écrit avec le comte, comme il convenait. Il lui soumit un contrat aux termes duquel il renonçait à tous les droits de l'époux et, par contre, s'engageait à toutes les obligations qui lui seraient imposées. Le comte renvoya le papier revêtu de sa signature et tout mouillé de larmes. Le lendemain, lorsque le gouverneur le remit à la marquise, elle avait l'esprit un peu plus calme. Assise encore dans son lit, elle le parcourut à plusieurs reprises, le plia, toute songeuse, le rouvrit et le parcourut une nouvelle fois. Là-dessus, elle déclara qu'elle se trouverait à onze heures à l'église des Augustins. Elle se leva, s'habilla sans mot dire, monta en voiture avec tous les siens quand l'heure sonna et l'on partit.

Ce n'est que sous le portail de l'église qu'il fut permis au comte de se joindre à la famille. Pendant la cérémonie, la marquise ne quitta pas des yeux le retable de l'autel : pas même un regard furtif pour l'homme avec lequel elle échangeait son anneau. Aussitôt après la bénédiction, le comte lui offrit le bras ; mais, dès leur sortie de l'église, la comtesse s'inclina devant lui. Le gouverneur demanda s'il aurait l'honneur de le voir quelquefois dans l'appartement de sa fille : le comte balbutia quelques mots que nul ne comprit, salua la compagnie et s'éclipsa.

Il s'installa dans une maison de M... et il y passa plusieurs mois sans mettre une seule fois le pied dans la demeure du gouverneur où la comtesse était restée. Par son attitude tendre et réservée, en tous points exemplaire, partout où il venait à rencontrer la famille, il mérita d'être invité au baptême, quand la comtesse eut donné le jour à un fils. La comtesse qui, sous les broderies de sa toilette, était assise dans son lit d'accouchée, ne le vit qu'un instant, lorsqu'il parut sur le seuil et qu'il lui adressa de loin son salut respectueux. Parmi les cadeaux avec lesquels les invités fêtaient le nouveau-né, il jeta dans son berceau deux papiers et, quand il se fut éloigné, on vit que l'un était un don de vingt mille roubles fait à l'enfant et l'autre un testament où, en cas de mort, il désignait la mère comme héritière de toute sa fortune. À partir de ce jour, Mme de G... fit en sorte qu'il fût invité plusieurs fois ; la maison resta ouverte à ses visites et bientôt il ne se passa aucune soirée sans qu'il ne se montrât. Il avait le sentiment que, de tous les côtés, on lui accordait son pardon, au nom des faiblesses inhérentes à la nature ; aussi recommença-t-il à faire sa cour à la comtesse, sa femme, et, au bout d'un an, quand il l'eut entendue lui répondre « oui » une seconde fois, on célébra des secondes noces, plus gaies que les premières, après lesquelles toutes la famille partit pour V... Dès lors, toute une suite de jeunes Russes succédèrent au premier ; et le comte, ayant demandé un jour à sa femme, dans un de leurs moments de bonheur, pourquoi, à cette date fatale du 3, où elle semblait prête à recevoir tel ou tel être vicieux, elle avait fui devant lui comme devant un démon d'enfer, elle se jeta à son cou et lui répondit qu'il ne lui fût point alors apparu comme un démon si, lors de sa première apparition devant elle, elle n'avait cru voir en lui un ange.

Traduction par G. La Flize.

# LE TREMBLEMENT DE TERRE DU CHILI

*(Das Erdbeben in Chili)*

Pendant la captivité de Kleist en France, son ami Rühle von Lilienstern envoie le manuscrit de la nouvelle à Cotta, l'éditeur du *Morgenblatt für gebildete Stände,* où elle paraît du 10 au 15 septembre 1807, sous le titre « Jeronimo und Josephe. Eine Szene aus dem Erdeben zu Chili, vom Jahr 1647 » (« Jeronimo et Josephe. Une scène du tremblement de terre au Chili, de l'année 1647 »). Elle sera publiée ensuite dans le premier volume des *Récits* (*Erzählungen,* 1810).

On ignore dans quelles sources Kleist a puisé des renseignements sur le tremblement de terre qui a détruit Santiago le 13 mai 1647. Il s'inspire aussi, certainement, des souvenirs laissés par le tremblement de terre de Lisbonne (1755) : Voltaire l'évoque dans *Candide,* Goethe dans *Poésie et Vérité,* et Kant, dans son *Histoire et description de la nature des événements les plus remarquables provoqués par le tremblement qui a secoué une grande partie de la terre à la fin de l'année 1755* (*Geschichte und Naturbeschreibung der merkwürdigsten Vorfälle des Erdbebens, welches am Ende des 1755sten Jahres einen grossen Teil der Erde erschüttert hat*), préconise l'utilité morale d'un récit qui traiterait des conséquences d'une telle catastrophe. Mais si les passages sur l'héroïsme et la paix sociale correspondent à la suggestion de Kant, le pessimisme du dénouement est tel que ce fut à cause de cette scène, qualifiée d' « extrêmement dangereuse » pour le public, que la censure de Vienne interdit la vente du premier volume des *Récits* de Kleist.

A. F.

# LE TREMBLEMENT DE TERRE DU CHILI

A Santiago, la capitale du royaume du Chili, juste au moment du grand tremblement de terre de l'an 1647, où plusieurs milliers de personnes trouvèrent la mort, un jeune Espagnol accusé d'un crime — il s'appelait Jeronimo Rugera — était debout contre un pilier de la prison où on l'avait enfermé et il voulait se pendre. Don Henrico Asteron, un des hommes les plus riches parmi la noblesse de la ville, avait depuis un an environ éloigné de sa maison ce jeune Espagnol, pour avoir entretenu un tendre commerce avec donna Josephe, sa fille unique, pendant qu'il était précepteur dans la famille. Un rendez-vous secret avait été dénoncé au vieux seigneur grâce à la vigilance perfide de son fils et, dans son indignation, le père l'avait mise chez les Carmélites, au couvent de Notre-Dame de la Montagne.

Là, grâce à un hasard heureux, Jeronimo avait su renouer sa liaison et, une nuit où tout dormait, le jardin du couvent était devenu le théâtre de sa pleine félicité. On était à la Fête-Dieu et la procession solennelle des nonnes que suivaient les novices se mettait en marche quand, à ce même instant, sous le carillon des cloches, la malheureuse Josephe s'affaissa sur les degrés de la cathédrale, dans les douleurs de l'enfantement. Ce fut alors un extraordinaire scandale : on mena immédiatement en prison la jeune pécheresse, sans égard pour son état, et elle était à peine relevée de ses couches que, sur l'ordre de l'archevêque, on instruisit son procès avec la dernière rigueur. La ville commentait un tel événement en termes si amers et les langues épargnaient si peu le couvent tout entier où il s'était produit que ni l'intercession de la famille Asteron ni même le désir personnel de la Supérieure, qui avait pris en affection la jeune fille, à cause de sa conduite pour le reste irréprochable, ne purent adoucir la sévérité de la loi du couvent qui pesait sur elle. Tout ce que l'on put faire, ce fut que la peine du bûcher à laquelle elle avait été condamnée fût commuée en décapitation, par la décision souveraine du vice-roi, à la grande indignation des dames et des jeunes filles de Santiago. On loua les fenêtres dans les rues par où devait passer le cortège de l'exécution ; on démolit les toits des maisons et les pieuses filles de la ville invitèrent leurs amies à assister à leur côté, comme des sœurs, au spectacle qu'on offrait à la vengeance divine. Jeronimo qui, depuis, avait été, lui aussi, mis en prison, faillit perdre connaissance lorsqu'il apprit quelle tournure effroyable avait prise l'aventure. C'est en vain qu'il pensa à la délivrance. Partout, il se heurtait à des verrous et à des murailles, et un essai de limer les barreaux de sa fenêtre ne lui valut, une fois découvert, que d'être enfermé encore plus étroitement. Il se prosterna devant l'image de la sainte mère de Dieu et il lui fit une prière d'une ferveur infinie, comme à la seule de qui désormais pouvait lui venir le salut. Pourtant, le jour redouté arriva et, en même temps, lui vint au cœur la conviction qu'il se trouvait dans une situation absolument sans issue. Les cloches retentissaient, accompagnant Josephe vers le lieu de l'exécution, et le désespoir envahit son âme. La vie lui paraissait odieuse, et il résolut d'en finir avec une corde que le hasard lui avait laissée. Il était là, debout, comme nous l'avons dit, contre un pilastre ; la corde qui devait l'arracher aux misères dont ce monde est plein, il la fixait déjà à un crampon de fer scellé dans la corniche de la muraille, lorsque, tout à coup, la plus grande partie de la ville s'écroula, avec un fracas qui semblait celui du firmament s'effondrant sur la terre, et tout ce qui respirait fut enseveli sous ses ruines.

Jeronimo Rugera se raidit d'épouvante et, tout de suite, la conscience pour ainsi dire totalement écrasée, il s'accrocha à ce même pilier où il avait voulu mourir, pour n'être pas renversé. Le sol vacillait sous ses pieds ; tous les murs de la prison se fendaient et la construction entière penchait vers la rue pour s'y effondrer : seule la chute du bâtiment d'en face, venant à la rencontre de sa chute lente, l'empêcha, grâce au hasard d'une voûte, de tomber à terre de toute sa masse. Tremblant, les cheveux hérissés, les genoux comme brisés sous lui, Jeronimo glissa sur le plancher en pente raide vers l'ouverture dont la collision des deux maisons avait percé le mur de façade de la prison. À peine se trouvait-il à l'air libre que la rue entière, déjà ébranlée, s'effondra complètement, lors d'une deuxième secousse de la terre.

Sans aucune conscience des moyens d'échapper à cette catastrophe générale, il s'éloigna en hâte, par un chemin de décombres et de charpentes, vers une des portes de la ville les plus proches, tandis que la mort l'assaillait de toutes parts. Ici s'effondrait encore toute une maison dont les ruines, projetées à distance autour de lui, le chassaient dans une rue latérale ; là, des langues de flammes, éclairs dans des nuages de fumée, sortaient déjà de tous les pignons et le repoussaient, terrifié, dans une autre ; là, les eaux du Mapocho, soulevées de leur lit, se ruaient sur lui et, mugissantes, l'emportaient dans une troisième. Ici, des victimes entassées ; là, une voix gémissait encore sous les décombres ; là, du haut de toits en feu, des gens poussaient des cris ; là, la bataille des hommes et des bêtes contre les vagues ; plus loin, un courageux sauveteur s'efforçant de porter secours ; plus loin, encore un autre, debout, pâle comme la mort et levant sans mot dire ses mains tremblantes vers le ciel. Lorsque Jeronimo eut atteint la porte et qu'au-delà il eut gravi une hauteur, il s'affaissa sur place et perdit connaissance. Il pouvait bien être resté un quart d'heure dans l'évanouissement le plus profond lorsque, enfin, il revint à lui et, le dos tourné vers la ville, se souleva du sol à demi. Il se tâta le front et la poitrine, sans savoir que penser de son état ; une impression de volupté indicible le saisit lorsqu'un vent d'ouest, venu de la mer, environna sa vie renaissante, et ses yeux se portèrent dans toutes les directions sur la florissante région de Santiago.

Seules les masses d'êtres humains hagards qu'il découvrait partout lui oppressaient le cœur : il ne saisissait pas ce qui avait pu les conduire là ainsi que lui, et ce ne fut qu'en se retournant et en voyant la ville qui avait sombré derrière lui qu'il se souvint des minutes terrifiantes qu'il avait vécues. Il se laissa retomber au point que son front toucha la terre, pour remercier Dieu de son salut miraculeux. Aussitôt, comme si l'impression d'effroi qui s'était gravée dans son âme en avait chassé toutes les précédentes, il pleura de la joie de savourer encore les charmes de la vie, si riche de couleurs et de formes. Remarquant alors un anneau à son doigt, il se souvint brusquement de Josephe et, avec elle, de sa prison, des cloches qu'il y avait entendues et de la minute qui avait précédé l'écroulement. Une accablante tristesse revint gonfler son cœur : il se mit à regretter sa prière, et c'est un être épouvantable qui lui parut régner dans les nues. Il se mêla au peuple qui, ne songeant partout qu'à sauver son bien, sortait à flots des portes et, timidement, il osa s'informer de la fille de don Asteron : est-ce que son exécution avait eu lieu ? Mais il n'y avait personne pour lui donner un renseignement complet. Une femme, dont le cou pliait presque jusqu'à terre sous un énorme fardeau d'ustensiles et qui portait deux enfants accrochés à son sein, lui dit en passant avec l'air d'avoir tout vu de ses yeux, qu'elle avait été décapitée.

Jeronimo s'en revint. Comme, en faisant le calcul du temps, il ne pouvait lui-même douter de l'exécution, il alla s'asseoir dans une forêt solitaire et donna libre cours à sa douleur. Il souhaitait que la force destructrice de la nature pût fondre à nouveau sur lui. Il ne comprenait pas pourquoi il avait échappé à la mort que cherchait son âme en détresse dans ces moments où elle lui apparaissait, venant spontanément de tous les côtés en libératrice. Il se promit de ne pas chanceler, même si les chênes venaient à être déracinés et leurs cimes à s'effondrer en masse sur sa tête. Puis, quand il eut bien pleuré, et que, au milieu des larmes les plus brûlantes, l'espérance lui fut de nouveau apparue, il se leva et parcourut la campagne dans toutes les directions. Pas un sommet de montagne où la foule s'était rassemblée qu'il ne gravît. Sur tous les chemins où passait encore le torrent des fugitifs, il allait à leur rencontre. Il suffisait qu'un vêtement de femme flottât au vent pour qu'il portât ses pas tremblants de ce côté : mais aucun ne couvrait la chère fille de don Asteron. Le soleil déclinait et déjà son espérance sombrait une fois encore avec lui lorsque, suivant les bords d'un rocher, il découvrit, ouverte à ses regards, une longue vallée où les gens n'étaient arrivés qu'en petit nombre. Sans savoir quel parti prendre, il courut d'un groupe à l'autre, et il allait s'en retourner lorsque soudain, au bord d'une source qui arrosait la gorge, il aperçut une femme, occupée à laver un enfant dans ses eaux. Son cœur bondit à cette vue : envahi d'un pressentiment, il sauta par-dessus les roches. « Ô mère, sainte mère de Dieu ! » cria-t-il en reconnaissant Josephe au moment où, apeurée par le bruit, elle regardait autour d'elle. Avec quelle félicité ils s'embrassèrent, ces infortunés qu'avait sauvés un miracle du ciel ! Dans sa marche à la mort, Josephe était déjà presque arrivée au lieu du supplice, lorsque le fracas des édifices croulants rompit tout à coup le cortège de l'exécution en tronçons épars. Sous le coup de la terreur, elle s'était tout de suite précipitée vers la porte la plus proche. Mais, à la réflexion, elle revint sur ses pas et prit en toute hâte la direction du couvent où son petit enfant était resté sans secours. Elle trouva le couvent déjà complètement en flammes ; l'abbesse qui, dans ces instants, — les derniers qu'elle avait à vivre, — lui avait solennellement promis de prendre soin du nouveau-né, se trouvait justement devant les guichets, appelant à l'aide pour le sauver. Intrépidement, Josephe s'élança, à travers un barrage de fumées épaisses, dans le bâtiment qui déjà s'effondrait de partout, et tout de suite, comme sous la protection de tous les anges du ciel, elle reparut, sortant du portail, avec l'enfant sain et sauf. Elle allait s'abîmer dans les bras de l'abbesse, dont les mains s'étaient jointes au-dessus de sa tête, lorsque l'abbesse, avec presque toutes ses religieuses, s'abattit, terriblement frappée par la chute d'un pignon.

Devant l'horreur de ce spectacle, Josephe bondit en arrière. D'une main hâtive, elle ferma les yeux de l'abbesse, et, envahie d'épouvante, elle s'enfuit, pour arracher à la catastrophe le cher enfant que le ciel lui avait rendu. À peine avait-elle fait quelques pas qu'elle aperçut devant elle un autre cadavre, celui de l'archevêque, que l'on venait de retirer, complètement écrasé, des décombres de la cathédrale. Le palais du vice-roi était englouti ; le tribunal où l'on avait prononcé sa sentence brûlait et l'emplacement de la maison de son père n'était plus qu'un lac bouillonnant d'où montaient des vapeurs rougeâtres. Josephe rassembla toutes ses forces pour se tenir debout. Chassant la désolation de son cœur, vaillante, elle allait d'une rue à l'autre avec son butin, et déjà elle approchait de la porte lorsqu'elle vit que la prison où avait gémi Jeronimo était, elle aussi, en ruine. À ce spectacle, elle chancela ; elle était sur le point de perdre connaissance et de s'affaisser dans un coin, mais, au même instant, la secousse d'une maison qui s'effondrait derrière elle, déjà complètement lézardée par les ébranlements, la fit se redresser et puiser des forces dans son épouvante. Elle embrassa l'enfant, étouffa ses larmes et, sans prendre garde davantage aux horreurs qui l'entouraient, elle gagna la porte. Lorsqu'elle fut en plein air, elle se convainquit bientôt que quiconque avait habité une maison détruite n'avait pas été forcément écrasé sous elle. Au premier croisement de routes, elle demeura immobile et attendit, se demandant si quelqu'un, celui qu'elle avait de plus cher au monde après son petit Philippe, n'allait point paraître. Elle s'en fut, parce qu'il ne venait personne et que le flot des gens grossissait, et elle se retourna encore, attendant toujours. Toute en larmes, elle se glissa dans une sombre vallée, sous l'ombre des pins, afin de prier pour cette âme qu'elle croyait envolée... et c'est là qu'elle le trouvait, cet être chéri, dans cette vallée de félicité qui semblait avoir été la vallée du Paradis. Tout ce récit elle le faisait à Jeronimo, pleine d'émotion, et, quand elle l'eut achevé, elle lui tendit l'enfant à baiser.

Jeronimo le prit et le cajola avec une indicible joie paternelle, et, comme il pleurait devant ce visage étranger, il lui ferma la bouche par des caresses sans fin. Cependant, la nuit la plus splendide était descendue, pleine de parfums merveilleusement doux, avec un éclat argenté et un calme que seul un poète peut rêver. Partout, dans la vallée, les gens s'étaient installés sur les bords de la source, aux clartés de la lune, et ils se préparaient des couches moelleuses de mousse et de feuillage pour y trouver le repos après le martyre d'une telle journée. Les malheureux gémissaient toujours, celui-ci d'avoir perdu sa maison; celui-là, sa femme et son enfant; un troisième, d'avoir tout perdu. Aussi Jeronimo et Josephe se glissèrent-ils dans un bocage plus épais, afin de ne pas importuner les autres par la secrète allégresse de leurs âmes. Ils trouvèrent un superbe grenadier qui déployait largement ses branches pleines de fruits parfumés : à son sommet, un rossignol modulait son chant voluptueux. C'est là, contre le tronc de l'arbre, que Jeronimo s'assit et, Josephe dans ses bras, Philippe dans ceux de sa mère, ils restèrent ainsi, couverts de son manteau, et reposèrent. L'ombre du grenadier, traversée de lumières éparses, s'étendait sur eux, et la lune pâlissait déjà au retour de l'aurore qu'ils ne s'étaient pas encore endormis. Ils avaient tant de choses à se dire, sur le jardin du couvent, sur les prisons et tout ce qu'ils avaient souffert l'un pour l'autre ! Avec une émotion intense, ils pensaient à toutes les misères qui avaient dû fondre sur le monde pour leur faire connaître le bonheur.

Ils résolurent, dès que les secousses auraient cessé, de se rendre à La Conception, où Josephe avait une amie intime et, avec une petite avance qu'elle espérait recevoir de cette amie, de s'y embarquer pour l'Espagne où habitaient des parents maternels de Jeronimo : c'est là qu'ils achèveraient leur existence heureuse. Là-dessus, en se prodiguant des baisers, ils s'endormirent.

Quand ils s'éveillèrent, le soleil était déjà haut dans le ciel, et ils remarquèrent, non loin d'eux, plusieurs familles occupées à préparer devant le feu un petit repas matinal. Jeronimo se demandait comment il allait faire, lui aussi, pour procurer à manger aux siens, lorsqu'un homme jeune, bien mis, avec un enfant sur les bras, s'approcha de Josephe et lui demanda avec déférence si elle voulait bien donner le sein un moment à ce pauvre petit être dont la mère, blessée, était couchée là-bas, sous les arbres. Josephe fut un peu interdite en voyant dans cet homme quelqu'un qu'elle connaissait. Mais lui, se méprenant sur cet embarras : « Ce n'est que pour quelques instants, reprit-il, donna Josephe, et cet enfant n'a rien pris depuis cette heure qui a fait de nous tous des malheureux. » — « Mon silence avait un autre motif, don Fernando, fit-elle : en des temps aussi terribles, personne ne se refuse à donner une part de ce qu'il peut posséder. » Et, après avoir remis son propre enfant à Jeronimo, elle prit le petit étranger et le posa contre son sein. Don Fernando fut plein de reconnaissance pour sa bonté, et il demanda s'ils ne voulaient pas se joindre avec lui au cercle où l'on était en train de préparer auprès du feu un petit déjeuner. Josephe répondit qu'elle acceptait cette offre avec plaisir et — Jeronimo ne faisant de son côté aucune objection — elle fut conduite par don Fernando vers sa famille où elle trouva l'accueil le plus sincère et le plus affectueux auprès de ses deux belles-sœurs qu'elle connaissait pour être de jeunes dames d'une grande dignité. La femme de don Fernando, donna Elvire, qui était couchée sur le sol, grièvement blessée aux pieds, attira Josephe vers elle, comme une amie, en la voyant porter sur son sein son enfant miné de souffrance. Don Pedro, le beau-père, blessé à l'épaule, lui fit un signe de tête empreint également d'affection.

Dans l'âme de Jeronimo et de Josephe s'agitaient des pensées d'une espèce singulière. En se voyant traités avec tant de cordialité et de bonté, ils ne savaient plus que penser de leur passé, de la place de l'exécution, de la prison et des cloches. N'avaient-ils pas simplement rêvé tout cela ? C'était comme si les esprits, depuis l'épouvantable coup de tonnerre qui les avait secoués, étaient tous réconciliés. Leurs souvenirs ne pouvaient absolument pas remonter plus haut. Seule donna Elisabeth, qui avait été invitée par une amie à assister au spectacle de la veille au matin, mais n'avait pas accepté l'invitation, arrêtait parfois des regards rêveurs sur Josephe. Cependant, les récits que l'on entendait au sujet de quelque nouveau malheur effroyable ramenaient de force au présent son âme qui venait à peine de s'en évader. On racontait comment la ville, aussitôt après la première grande secousse, s'était trouvée remplie de femmes qui accouchaient sous les yeux de tous les hommes ; comment les moines avaient couru partout, le crucifix à la main, en criant que la fin du monde était arrivée ; comment, à un piquet de garde qui, sur l'ordre du vice-roi, avait ordonné l'évacuation d'une église, il avait été répondu qu'il n'y avait plus de vice-roi du Chili ! comment, aux moments les plus terribles, le vice-roi avait dû ordonner de dresser le gibet pour mettre un frein aux pilleries ; comment, enfin, un innocent, qui s'échappait d'une maison en flammes, avait été arrêté inconsidérément par le propriétaire et aussitôt avait été pendu. Donna Elvire, tandis que Josephe s'empressait autour de ses blessures et que tous ces rapports s'entrecroisaient avec le plus d'animation, avait saisi l'occasion de lui demander ce qui s'était passé pour elle en ce jour terrible. Josephe, le cœur oppressé, lui fit connaître en gros l'essentiel, et elle eut l'immense joie de voir les yeux de la dame se mouiller de larmes. Donna Elvire lui prit la main, la pressa et lui fit signe de n'en pas dire plus. Josephe se croyait au paradis. Un sentiment qu'elle ne pouvait réprimer lui faisait considérer cette journée de la veille, malgré toutes les misères qu'elle avait répandues sur le monde, comme un bienfait tel que le ciel ne lui en avait encore pas accordé. Et en vérité, dans l'horreur même de ces instants où s'anéantissaient tous les biens terrestres des hommes et où la nature entière penchait vers sa ruine, l'esprit humain, telle une belle fleur, semblait s'épanouir. Dans la campagne, aussi loin que portaient les regards, on voyait des hommes de toutes classes étendus confusément, princes et mendiants, dames et paysannes, fonctionnaires et manœuvres, religieux et religieuses, se porter une sympathie mutuelle, se venir en aide les uns aux autres et se partager avec joie ce qu'ils avaient pu sauver pour le soutien de leur vie, comme si l'universel malheur n'avait fait qu'une seule famille de tout ce qui lui avait échappé. Au lieu de ces conversations insignifiantes dont le monde avait jusqu'alors fourni les sujets devant les tasses de thé, on citait en exemple des faits prodigieux ; des hommes, jusqu'alors peu considérés dans la société, avaient montré une grandeur d'âme de Romains : une infinité d'exemples d'intrépidité, de mépris joyeux du danger, d'abnégation et de divin sacrifice, de dédain spontané pour la vie, comme si, à l'égal du bien le plus dépourvu de valeur, elle pouvait se retrouver dès le premier pas. Oui, il n'y avait là personne à qui il ne fût arrivé en cette journée quelque chose d'émouvant ou qui n'eût pas accompli, quant à soi, une action généreuse; ainsi, au fond de tous ces cœurs, la douleur se mêlait à une joie si douce qu'aux yeux de Josephe il était impossible d'évaluer si la somme du bien-être commun ne s'était pas accrue d'un côté dans la mesure exacte où, de l'autre, elle s'était amoindrie. Quand Jeronimo et Josephe, tous deux en silence, se furent dépensés en de telles méditations, il la prit par le bras et l'emmena avec une inexprimable sérénité sous le feuillage ombreux de la forêt de grenadiers dont ils montaient et descendaient les pentes. Il lui dit que, devant cette disposition des esprits et le renversement de tous les rapports sociaux, il abandonnait son projet de s'embarquer pour l'Europe; qu'il irait sans crainte se jeter aux pieds du vice-roi, lequel s'était toujours montré favorable à sa cause, au cas où il serait encore en vie, et qu'il avait l'espoir (il lui donna alors un long baiser) de rester avec elle au Chili. Josephe lui répondit que les mêmes pensées lui étaient venues à l'esprit; qu'au cas où son père serait encore en vie, elle n'avait, elle non plus, aucun doute au sujet d'une réconciliation; pourtant, au lieu d'aller se jeter aux pieds du vice-roi, elle conseillait plutôt de partir pour La Conception et d'agir par écrit auprès du vice-roi en vue de la réconciliation, dans cet endroit où l'on serait de toute façon à proximité du port. Si, par bonheur, l'affaire prenait la tournure désirée, il serait certes facile de revenir à Santiago. Après quelques instants de réflexion, Jeronimo se rallia à la sagesse de ce plan et, envisageant dans une envolée tout un avenir de sérénité, il lui fit faire encore une courte promenade dans les sentiers, puis, avec elle, alla retrouver la compagnie.

Cependant, l'après-midi était venue ; les secousses allaient diminuant ; aussi les esprits des fugitifs vaguant de tous côtés commençaient à retrouver un peu de calme lorsque la nouvelle se répandit soudain que, dans l'église des Dominicains, la seule qu'avait épargnée le tremblement de terre, le prélat du couvent en personne allait dire une messe solennelle pour supplier le ciel d'empêcher de nouveaux malheurs. Aussitôt, de partout, la population se mit en route et reflua en hâte vers la ville. Dans l'entourage de Jeronimo, une question fut soulevée : ne prendrait-on point part également à cette solennité, en se joignant au mouvement général ? Donna Elisabeth rappela, avec quelque serrement de cœur, quels excès malheureux s'étaient produits, la veille, dans l'église : ces fêtes d'actions de grâces ne manqueraient pas de se renouveler ; on pourrait donc, le péril étant déjà plus éloigné, s'abandonner alors à ses sentiments avec un calme d'autant plus grand et sans arrière-pensée. Josephe, se levant aussitôt avec une certaine exaltation, dit que le besoin de se prosterner, la face contre terre, devant le Créateur, n'avait jamais été aussi impérieux chez elle qu'en ce jour où il manifestait à ce point sa mystérieuse et souveraine puissance. Donna Elvire déclara d'un ton animé qu'elle était de l'avis de Josephe. Elle soutint qu'il fallait entendre la messe et invita don Fernando à y emmener la compagnie, sur quoi tous se levèrent de leur place, y compris donna Elisabeth. Celle-ci, le cœur vivement tourmenté, hésitait en face des menus préparatifs du départ et, comme on lui demandait ce qu'elle avait, elle répondit qu'elle avait, sans savoir pourquoi, le pressentiment d'un malheur. Alors, donna Elvire la rassura et l'engagea à rester auprès d'elle et de son père malade. « Ainsi, donna Elisabeth, dit Josephe, vous allez pouvoir sans doute vous charger de ce petit amour qui, comme vous le voyez, a su retrouver sa placc sur moi. » — « Je ne demande pas mieux », répondit donna Elisabeth, en s'apprêtant à le prendre. Mais lui, en face du mauvais procédé qu'on avait à son égard, poussa des cris plaintifs et ne se prêta nullement à la chose, si bien que Josephe dit en souriant qu'elle allait simplement le garder ; elle l'embrassa, et il redevint calme. Don Fernando, charmé de tout ce qu'il y avait de dignité et de grâce dans son attitude, lui offrit alors le bras. Jeronimo, qui portait le petit Philippe, conduisait donna Constanze ; les autres personnes qui étaient venues retrouver la compagnie venaient derrière, et c'est dans cet ordre que l'on marcha vers la ville. On avait fait à peine cinquante pas que l'on entendit donna Elisabeth, qui venait d'avoir en particulier un vif colloque avec Elvire, crier : « Don Fernando ! » et on la vit se hâter d'un pas nerveux vers la troupe.

Don Fernando s'arrêta, fit demi-tour et l'attendit, sans quitter Josephe. Comme elle restait immobile à quelque distance, ayant tout à fait l'air d'attendre qu'il vînt à sa rencontre, il lui demanda ce qu'elle voulait. Alors, donna Elisabeth s'approcha de lui à contrecœur, à ce qu'il semblait, et lui murmura à l'oreille quelques mots, mais de façon que Josephe ne pût entendre. « Eh bien ! quoi ? questionna don Fernando, et le malheur qui peut en résulter ? » Donna Elisabeth continua à lui chuchoter à l'oreille, d'un air égaré. Une rougeur d'indignation monta au visage de Fernando. Il répondit : « C'est bien ! Donna Elvire peut se tranquilliser. » Et il repartit avec sa dame.

Quand ils arrivèrent à l'église des Dominicains, l'orgue y faisait entendre déjà ses notes magnifiques et une foule innombrable l'emplissait de sa houle. Ses rangs pressés s'étendaient loin devant les portails et sur le parvis et, au-dessus d'elle, contre les murs, des enfants, accrochés aux cadres des tableaux, les regards pleins d'impatience, avaient leurs bonnets à la main. De tous les lustres tombaient des rayons ; dans le crépuscule commençant, les piliers jetaient une ombre mystérieuse ; tout au fond de l'église, la grande rosace flamboyait de tous ses vitraux, comme le soleil couchant lui-même qui l'éclairait ; l'orgue s'était tu et le silence régnait sur l'assemblée entière, comme s'il n'y avait plus un seul souffle dans les poitrines. Jamais d'une église chrétienne ne jaillit vers le ciel une flamme de ferveur pareille à celle qui montait ce jour-là de l'église des Dominicains de Santiago. Et aucune poitrine humaine n'y mêla une ardeur plus brûlante que celle de Jeronimo et de Josephe. La cérémonie commença par un sermon que l'un des plus anciens chanoines, revêtu des ornements de fête, prononça en chaire.

Dressant vers le ciel ses mains qui flottaient dans le large surplis, il commença par louer Dieu et lui rendre grâces de ce qu'il y avait encore, dans cette partie du monde en ruines, des hommes capables de bégayer vers lui leurs prières. Il décrivit ce que le signe du Tout-Puissant avait déchaîné : le jugement dernier ne peut être plus effroyable. Et quand il déclara, la main tendue vers une lézarde que gardait la cathédrale, que le tremblement de terre de la veille n'en était cependant qu'un avant-coureur, ce ne fut qu'un frisson dans toute l'assemblée. Il se répandit alors en un flot d'éloquence ecclésiastique sur la corruption des mœurs de la ville ; il fit sur elle le procès d'horreurs comme Sodome et Gomorrhe n'en ont pas vu et il n'attribua qu'à l'infinie mansuétude de Dieu qu'elle n'eût pas encore été totalement arrachée de la surface de la terre. Mais nos deux infortunés reçurent comme un coup de poignard en leur cœur déjà profondément déchiré par ce sermon, lorsque à ce propos le chanoine rappela dans ses détails le sacrilège qui avait été commis dans le jardin du couvent des Carmélites. Il qualifia d'impies les ménagements qu'il avait trouvés auprès du monde et, dans une sortie pleine de malédictions, il voua l'âme de ses auteurs, désignés par leur nom, à tous les démons de l'enfer.

Donna Constanze, toute palpitante au bras de

Jeronimo, cria : « Don Fernando ! » Celui-ci se borna à répondre, d'une voix ferme et pourtant étouffée, autant que pouvaient se concilier les deux choses : « Pas un mot, donna, pas un regard non plus. Faites comme si vous tombiez en faiblesse ; alors, nous sortirons de l'église. » Mais avant que donna Constanze eût pu mettre à exécution ce plan ingénieux, trouvé pour leur salut, une voix s'éleva soudain, interrompant bruyamment le sermon du chanoine : « Écartez-vous, fuyez, habitants de Santiago, ces deux impies sont ici ! » Une autre voix demanda avec effroi, tandis qu'un large cercle d'épouvante se formait autour d'eux : « Où cela ? » — « Ici », fit un troisième qui, plein d'un saint zèle pour le mal, tira Josephe par les cheveux, au point qu'elle eût été renversée à terre avec le fils de don Fernando, si celui-ci ne l'avait point retenue. « Avez-vous perdu l'esprit ? cria-t-il, en passant son bras autour de Josephe : je suis don Fernando Ormez, le fils du gouverneur de la ville, que vous connaissez tous. » — « Don Fernando Ormez ? » s'écria, campé devant lui face à face, un cordonnier qui avait travaillé pour Josephe et la connaissait, elle, pour le moins aussi bien que la petitesse de ses pieds. Il se tourna vers la fille de don Asteron, et, la toisant avec insolence : « Qui est le père de cet enfant ? » dit-il. À cette question, don Fernando pâlit. Ses yeux, tantôt fixaient sur Jeronimo un regard embarrassé, tantôt parcouraient l'assemblée pour voir s'il n'y avait personne qui le connût. Cédant à l'horreur de la situation, Josephe cria : « Ce n'est pas mon enfant, maître Pedrillo, comme vous le croyez. » Puis, dans l'angoisse infinie de son âme, en regardant don Fernando : « Ce jeune seigneur est don Fernando Ormez, le fils du gouverneur de la ville, que vous connaissez tous ! » — « Qui de vous, citoyens, connaît ce jeune homme ? » demanda le cordonnier. Plusieurs, alors, dans l'assistance, répétèrent : « Qui connaît Jeronimo Rugera ? Qu'il s'avance ! » Il arriva alors au même instant que le petit Juan, effrayé par le tumulte, chercha à quitter le sein de Josephe pour aller dans les bras de don Fernando. Aussitôt : « C'est lui le père ! » cria une voix. — « Et c'est Jeronimo Rugera ! » fit une autre. Une troisième : « Voilà les deux sacrilèges ! » — « Lapidez-les ! Lapidez-les ! » tel fut le cri de toute la chrétienté rassemblée dans le temple de Jésus. À ce moment, Jeronimo : « Arrêtez, barbares que vous êtes ! Si vous cherchez Jeronimo, le voici ! Délivrez cet homme qui est innocent ! »

Cette masse furieuse, décontenancée par les paroles de Jeronimo, s'arrêta court. Plus d'une main lâcha don Fernando. Au même instant, un officier de marine, d'un grade élevé, accourait et, se frayant un passage à travers le désordre : « Don Fernando Ormez ! demanda-t-il, que vous est-il arrivé ? » Cette fois complètement dégagé, Fernando répondit, avec un vrai sang-froid de héros : « Voyez-moi, don Alonzo, ces valets de bourreau. J'étais perdu, si ce brave homme, afin de calmer la foule déchaînée, ne s'était pas donné pour Jeronimo Rugera. Ayez donc la bonté de l'arrêter, ainsi que cette jeune dame, pour leur sécurité à tous deux. Arrêtez aussi ce misérable, — et il saisissait maître Pedrillo, — c'est lui l'instigateur de toute l'émeute. » — « Don Alonzo, cria le cordonnier, je vous demande en conscience si cette jeune fille n'est pas Josephe Asteron. » Alonzo, qui connaissait parfaitement Josephe, hésitait à répondre ; aussi dcs voix, enflammées d'une fureur nouvelle, crièrent : « C'est elle ! C'est elle ! À mort ! »

Alors Josephe plaça le petit Philippe, que Jeronimo avait porté jusque-là, ainsi que le petit Juan, dans les bras de don Fernando, en disant : « Partez, don Fernando ; sauvez vos deux enfants et laissez-nous à notre destin ! »

Don Fernando prit les deux enfants et s'écria qu'il aimait mieux périr plutôt que de voir son entourage souffrir quelque atteinte. Il pria l'officier de marine de lui donner son épée, offrit le bras à Josephe et invita le couple qui se tenait derrière lui à le suivre. Grâce à ces dispositions, ils inspirèrent assez de respect pour s'assurer un passage, et ils réussirent à sortir de l'église, se croyant sauvés. Mais ils avaient à peine mis le pied sur le parvis, que remplissait également la foule, qu'un cri s'éleva de la bande frénétique marchant à leurs trousses : « Celui-là, c'est Jeronimo Rugera, citoyens, car c'est moi son père ! » et il l'étendit à terre, au côté de donna Constanze, d'un terrible coup de massue. « Jésus Marie ! » cria donna Constanze, en fuyant vers son beau-frère. On entendit alors hurler : « Catin de couvent ! » et un second coup de massue, venu d'un autre côté, l'étendit sans vie auprès de Jeronimo. — « Monstre ! cria un inconnu, cette femme était donna Constanze Xares ! » — « Pourquoi nous a-t-on menti ? répondit le cordonnier, cherchez la vraie, et à mort ! »

Don Fernando, en apercevant le cadavre de Constanze, s'empourpra de colère. Il tira et brandit l'épée et donna un coup qui eût pourfendu ce fanatique valet de bourreau, cause de toutes ces horreurs, si, par un écart, il n'eût évité l'arme exaspérée. Voyant cependant son impuissance à dompter la foule qui déferlait sur lui : « Adieu, adieu, don Fernando et les enfants ! » cria Josephe... Puis : « Me voici ! Massacrez-moi, tigres qui avez soif de sang ! » Et elle s'élança résolument parmi eux, afin de mettre un terme à cette mêlée. Maître Pedrillo l'abattit d'un coup de massue. Puis, tout éclaboussé de son sang : « Envoyez maintenant le bâtard en enfer ! » cria-t-il, et il se rua de nouveau, avec un regain de joie meurtrière. Don Fernando était là, tel un demi-dieu, le dos appuyé à l'église : dans son bras gauche les enfants, à sa main droite l'épée. À chacun de ses coups, quelqu'un tombait, foudroyé : un lion ne peut mieux se défendre. Sept chiens de la meute sanguinaire étaient étendus morts devant lui ; le Satan de cette tourbe de démons était lui-même blessé. Pourtant, maître Pedrillo n'eut pas de repos qu'il n'eût auparavant saisi par les jambes un des deux enfants, qu'il ne l'eût arraché de la poitrine de Fernando, fait tournoyer au-dessus de sa tête et écrasé contre l'angle d'un pilier de l'église. Alors ce fut le silence, et la bande s'éloigna. Lorsque don Fernando vit étendu à ses pieds son petit Juan dont le cerveau perdait à flots sa substance, il leva les yeux vers le ciel, plein d'une douleur sans nom. L'officier de marine se retrouva auprès de lui, chercha à le consoler et l'assura de tous ses regrets de n'avoir pas agi, lors de ce drame, bien que cette attitude se justifiât par plus d'une raison de circonstance. Don Fernando lui dit qu'il n'y avait rien à lui reprocher, et il le pria seulement d'aider à enlever immédiatement les cadavres. Ils furent tous transportés, dans l'obscurité de la nuit tombante, à la maison de don Alonzo, où Fernando les suivit, baignant de larmes le visage du petit Philippe. Il passa également la nuit chez don Alonzo, et longtemps il se donna de fausses raisons pour ne pas mettre tout de suite sa femme au courant de l'étendue de leur malheur : tantôt c'était à cause de son état de santé et tantôt à cause de l'incertitude où il était du jugement qu'elle porterait sur son attitude, lors de l'événement. Cependant, peu après, informée par une visite de tout ce qui s'était passé, cette femme admirable épancha en pleurs silencieux sa douleur de mère et, un matin, une dernière larme brillant encore dans ses yeux, elle vint se jeter au cou de son mari et l'embrassa. Don Fernando et donna Elvire prirent alors le petit étranger comme fils adoptif et, quand don Fernando comparait Philippe avec Juan et pensait à la manière dont ces deux enfants lui étaient venus, son cœur éprouvait comme une envie de se réjouir.

Traduction par G. LA FLIZE.

# LES FIANCÉS DE SAINT-DOMINGUE

*(Die Verlobung in St. Domingo)*

Écrit au début de 1811, le récit paraît d'abord, sous le titre « Les Fiançailles » (« Die Verlobung »), du 25 mars au 5 avril, dans *Der Freimüthige oder Berlinisches Unterhaltungsblatt für gebildete, unbefangene Leser*. En juillet 1811, il est repris par la revue viennoise *Der Sammler*, puis publié dans le deuxième volume des *Récits* (*Erzählungen*, 1811).

En 1812, Theodor Körner écrit une pièce de théâtre intitulée *Toni* à partir de la nouvelle. Cette pièce sentimentale d'où tout le problème de la confiance est écarté et qui se termine par un dénouement heureux, a été mise en scène la même année à Weimar, sous le patronnage de Goethe.

Kleist a pu se renseigner sur la révolte des Noirs de Haïti — Santo Domingo en espagnol — dans *Histoire de l'île de Haïti* de Rainsford (*Geschichte der Insel Hayti*, Hambourg, 1806) et dans l'*Histoire de la révolte de Saint-Domingue* de Dubroca (*Geschichte der Empörung auf St. Domingo,* dans *Minerva,* 1805). En 1807, Kleist a été prisonnier au même fort de Joux où Toussaint-Louverture, le chef de la première révolte de Haïti, est mort en 1804 dans la cellule occupée par Gauvain, un des camarades de Kleist (cf. la lettre de Kleist à sa sœur Ulrike du 23 avril 1807).

C'est Toussaint-Louverture qui conduit la première révolte, en août 1791, des Noirs et d'une partie des mulâtres de Haïti contre les colonisateurs français, anglais et espagnols. En 1794, la Convention déclare la liberté et l'égalité des Noirs de la partie française de l'île dont Toussaint-Louverture, en ayant chassé les Anglais, déclare l'indépendance, en qualité de gouverneur, en 1801. Napoléon, décidant de reprendre Haïti, y envoie le général Leclerc qui vaincra Toussaint-Louverture en 1802. C'est l'ancien adjudant de celui-ci, le général Jean-Jacques Dessalines, un ancien esclave, qui conduira la deuxième révolte contre les Français, lesquels veulent rétablir l'esclavage. Il les contraindra de quitter l'île dont il sera l'empereur de 1804 jusqu'en 1806, lorsqu'il mourra tué par des conjurés. Pendant ces luttes, les Français ont pris un moment les enfants de Toussaint-Louverture comme otages.

La petite propriété au bord de l'Aar où Gustav voudrait se retirer avec Toni est celle que Kleist rêvait d'acheter autrefois pour s'y établir avec Wilhelmine.

La mort des amoureux — Gustave tue Toni par une balle dans la poitrine, puis il se tue, par une balle dans la bouche — se produit exactement de la même manière que celle d'Henriette Vogel et de Kleist quelques mois après la création du récit. Le premier à remarquer cette analogie fut Arnim, dans une lettre adressée aux frères Grimm le 6 décembre 1811.

A. F.

# LES FIANCÉS DE SAINT-DOMINGUE

Au début de ce siècle, à l'époque où les Noirs massacrèrent les Blancs, vivait un terrible vieux Nègre, du nom de Congo Hoango, dans la plantation du sieur Guillaume de Villeneuve, à Port-au-Prince, dans la partie française de l'île de Saint-Domingue. Cet homme, originaire de la côte de l'Or africaine et qui, dans sa jeunesse, semblait être d'un naturel fidèle et loyal, avait été comblé de bienfaits infinis par son maître, à qui il avait un jour sauvé la vie au cours d'une traversée vers Cuba. Non seulement M. Guillaume lui avait sur l'heure accordé la liberté et lui avait, à son retour à Saint-Domingue, donné maison et terres, mais, quelques années plus tard, il le chargea même, contrairement aux habitudes locales, de gérer son importante propriété et, comme Congo Hoango ne voulait pas se remarier, il lui adjoignit en guise d'épouse une vieille mulâtresse de sa plantation du nom de Babekan, à laquelle Hoango était apparenté à plusieurs titres, par sa première femme défunte. Bien plus, lorsque le Nègre eut atteint sa soixantième année, il le mit à la retraite avec une rente considérable et couronna ses bienfaits en lui faisant par testament une donation ; et pourtant toutes ces preuves de reconnaissance n'empêchèrent pas M. de Villeneuve d'échapper à la férocité de cet homme cruel. Dans la fièvre générale de vengeance qui, dans ces plantations, montait comme un incendie sous les pas inconsidérés de l'Assemblée nationale, Congo Hoango fut l'un des premiers qui saisit la carabine et, se souvenant de la tyrannie qui l'avait arraché à sa patrie, envoya sa première balle dans la tête de son maître. Il incendia la maison dans laquelle Mme de Villeneuve s'était réfugiée avec ses trois enfants et les autres Blancs de la colonie, dévasta toute la plantation qu'auraient pu revendiquer les héritiers qui habitaient Port-au-Prince et, lorsque tous les établissements qui faisaient partie de la propriété eurent été rasés, il parcourut à l'entour le voisinage avec les Nègres qu'il avait rassemblés et armés, afin de soutenir ses frères de race dans le combat mené contre les Blancs. Tantôt il se mettait à l'affût des voyageurs qui, par bandes armées, traversaient le pays ; tantôt il assaillait en plein jour les planteurs eux-mêmes, retranchés dans leurs colonies, et faisait passer au fil de l'épée tout ce qu'il y trouvait. Bien mieux, dans son inhumaine soif de vengeance, il obligea même la vieille Babekan et sa fille, une jeune métisse de quinze ans appelée Toni, à prendre part à cette guerre féroce qui le rajeunissait totalement, et, comme le principal bâtiment de la plantation, qu'il habitait désormais, se trouvait au bord de la grand-route et que fréquemment s'y arrêtaient en son absence des fugitifs blancs ou créoles à la recherche de quelque abri ou subsistance, il enjoignit aux femmes de retenir ces chiens de Blancs, ainsi qu'il les appelait, jusqu'à son retour, à grand renfort de secours et d'amabilités. Babekan, qui, par suite d'une cruelle punition subie dans sa jeunesse, était atteinte de phtisie, ne manquait pas en semblable occurrence de parer de ses plus beaux atours la belle Toni, qui, avec son teint tirant sur le jaune, convenait particulièrement bien à cette ruse horrible ; elle exhortait Toni à ne refuser aux étrangers aucune démonstration de tendresse, à l'exception de la dernière, qui lui était interdite sous peine de mort ; et, lorsque Congo Hoango revenait avec ses Nègres des expéditions faites à travers la contrée, la mort immédiate était le lot de ces malheureux qui s'étaient laissé séduire par ces artifices.

Or, chacun sait qu'en 1803, lorsque le général Dessalines marcha sur Port-au-Prince à la tête de trente mille Nègres, tout ce qui était de couleur blanche se jeta dans cette place pour la défendre. Car c'était le dernier point d'appui de la puissance française dans l'île et, si elle tombait, tous les Blancs qui s'y trouvaient étaient tous perdus, sans espoir de salut. Or, il arriva que, précisément en l'absence du vieil Hoango qui, à la tête des Noirs qu'il avait rassemblés, s'était mis en marche pour faire parvenir à travers les postes français un transport de poudre et de plomb au général Dessalines, quelqu'un, dans les ténèbres d'une nuit de tempête et de pluie, frappa à la porte arrière de sa demeure. La vieille Babekan, qui était déjà couchée, se leva, ouvrit — les hanches ceintes d'une simple jupe — la fenêtre et demanda qui était là. « Par Marie et tous les saints ! » dit l'étranger à voix basse, en se mettant sous la fenêtre, « avant que je vous le dévoile, répondez à ma question ! » Et, ce faisant, il étendit la main à travers l'obscurité de la nuit pour saisir la main de la vieille et demanda : « Êtes-vous une Négresse ? » Babekan dit : « À coup sûr, vous êtes un Blanc, vous qui craignez moins de scruter le visage de cette nuit noire que celui d'une Négresse ! Entrez », ajouta-t-elle, « et ne craignez rien ; ici, habite une mulâtresse, et la seule personne qui se trouve dans la maison est ma fille, une métisse ! » Et, là-dessus, elle ferma la fenêtre, comme pour descendre lui ouvrir la porte ; mais, sous le prétexte qu'elle ne pouvait tout de suite trouver la clef, elle monta, avec quelques habits hâtivement tirés d'une armoire, dans la chambre et réveilla sa fille : « Toni », dit-elle, « Toni ! » — « Qu'y a-t-il, mère ? » — « Vite », dit-elle, « debout, et habille-toi ! Voici des habits, du linge blanc et des bas ! Un Blanc, qui est poursuivi, est à la porte et demande qu'on le laisse entrer ! » Toni demanda : « Un Blanc ? », tout en se dressant à moitié sur le lit. Elle prit les habits que la vieille avait en main et dit : « Est-il bien seul, mère ? Et n'avons-nous rien à craindre, si nous le laissons entrer ? » — « Rien, rien ! » répliqua la vieille, en allumant la chandelle. « Il est sans armes et seul, et la crainte que nous pourrions l'assaillir le fait trembler de tous ses membres ! » Et là-dessus, pendant que Toni se levait et enfilait jupe et bas, elle alluma la grande lanterne qui se trouvait dans un coin de la chambre, rassembla vivement les cheveux de la jeune fille, selon la mode paysanne, sur le sommet de la tête, lui mit, après avoir lacé son corselet, un chapeau, lui donna la lanterne dans la main et lui ordonna de descendre dans la cour, d'aller quérir l'étranger et de le faire entrer.

Entre-temps, l'aboiement de quelques chiens de garde avait réveillé Nanky, l'enfant adultérin que Hoango avait eu d'une Négresse, et qui dormait avec son frère Seppy dans les bâtiments adjacents ; et lorsque, au clair de lune, il vit un homme seul, debout dans l'escalier arrière de la maison, il se hâta aussitôt, selon les ordres reçus pour semblable occurrence, vers le portail de la cour par où l'homme était entré, et le ferma à clef. L'étranger, qui ne comprenait pas ce que signifiaient ces dispositions, demanda au garçon, en qui, de près, il reconnut avec effroi un Nègre, qui habitait cette exploitation, et, en entendant l'enfant lui répondre que ces propriétés étaient, depuis la mort du sieur de Villeneuve, échues en partage au Nègre Hoango, il était déjà sur le point de projeter l'enfant à terre, de lui arracher des mains la clef du portail et de s'enfuir à travers champs, lorsque Toni, lanterne en main, sortit de la maison. « Vite », dit-elle, en le saisissant par la main et en l'entraînant vers la porte, « entrez ici ! » Elle prit soin, en disant ceci, de placer la lanterne de manière à ce que tout le rayon lui en inondât le visage. — « Qui es-tu ? » s'écria l'étranger, en lui résistant, tout en contemplant, interloqué pour plus d'une raison, l'aimable et jeune apparition. « Qui habite dans cette maison où tu prétends que je trouverai mon salut ? » — « Par la lumière du soleil », dit la jeune fille, « personne d'autre que ma mère et moi ! » et elle faisait tout son possible pour l'entraîner avec elle. « Comment, personne ! » s'écria l'étranger, en reculant d'un pas pour dégager sa main. « Cet enfant ne vient-il pas de me dire qu'un Nègre nommé Hoango y demeure ? » — « Je te dis que non ! » dit la jeune fille, en tapant du pied avec une moue contrariée ; « et bien que la maison appartienne à un barbare qui porte ce nom, il est en ce moment absent et à dix lieues d'ici ! » Et, là-dessus, de ses deux mains, elle entraîna l'étranger dans la maison, donna l'ordre à l'enfant de ne dire à qui que ce fût ce qui était arrivé, et, lorsqu'ils eurent atteint la porte, saisit l'étranger par la main et lui fit monter l'escalier qui conduisait à la chambre de sa mère.

« Eh bien ! » dit la vieille, qui, de la fenêtre, avait écouté tout le dialogue et qui, à la clarté de la lampe, avait remarqué que c'était un officier : « Que signifie l'épée que vous portez d'un air si agressif sous le bras ? Nous vous avons », ajouta-t-elle en ajustant ses lunettes, « au péril de notre vie, offert un asile dans notre maison ; êtes-vous entré pour, selon la coutume de vos compatriotes, nous remercier de ce bienfait par la trahison ? » — « Le ciel m'en garde ! » répliqua l'étranger, qui s'était avancé tout près du fauteuil. Il saisit la main de la vieille, la pressa sur son cœur ; puis, après avoir timidement exploré la chambre du regard, il ouvrit la boucle qui retenait l'épée à sa ceinture en disant : « Vous avez devant vous le plus misérable des hommes, mais nullement un ingrat, ni un méchant ! » — « Qui êtes-vous ? » demanda la vieille ; et, là-dessus, elle lui poussa du pied une chaise et ordonna à la jeune fille d'aller à la cuisine lui préparer en hâte, tant bien que mal, un repas. L'étranger repartit : « Je suis officier de l'armée française, bien que, ainsi que vous pouvez en juger, je ne sois pas français ; ma patrie est la Suisse et je m'appelle Gustave von der Ried. Hélas ! pourquoi l'ai-je quittée pour cette île fatale ? Je viens de Fort-Dauphin, où, comme vous le savez, tous les Blancs ont été assassinés, et mon intention est de gagner Port-au-Prince avant que le général Dessalines n'ait réussi, avec les troupes qu'il commande, à encercler et assiéger la ville. » — « De Fort-Dauphin ! » s'écria la vieille. « Et vous avez réussi, avec la couleur de votre visage, à parcourir cette énorme distance à travers un pays nègre en proie à la révolte ? » — « Dieu et tous les saints », repartit l'étranger, « m'ont sauvegardé ! Et je ne suis pas seul, bonne petite mère ; dans ma suite, que j'ai laissée derrière moi, se trouve un noble vieillard, mon oncle, son épouse et ses cinq enfants, sans parler de plusieurs serviteurs et servantes qui font partie de la famille ; une suite de douze personnes, qu'il me faut, avec l'aide de deux misérables mulets, emmener avec moi dans des pérégrinations nocturnes indiciblement pénibles, puisque, de jour, nous ne pouvons nous montrer sur la grand-route. » — « Seigneur Dieu ! » s'écria la vieille, en secouant la tête avec compassion et en prenant une prise de tabac. « Où se trouvent en ce moment vos compagnons de voyage ? » — « À vous », répliqua l'étranger après une brève hésitation, « à vous, je puis bien me confier ; dans la couleur de votre visage je vois poindre un reflet de ma propre couleur ! La famille se trouve, sachez-le, à une lieue d'ici, tout près de l'Étang-aux-Mouettes, dans la montagne voisine, au creux de la forêt sauvage. La faim et la soif nous ont contraints, avant-hier, à tâcher de trouver ce refuge. C'est en vain que, la nuit passée, nous avons fait sortir nos serviteurs pour se procurer, chez les habitants du pays, un peu de pain et de vin ; la crainte d'être capturés et assassinés les a empêchés de faire à cet effet les pas utiles, de sorte que j'ai dû aujourd'hui, au péril de ma vie, me mettre moi-même en route pour tenter ma chance. Le ciel, si tout ne me trompe pas », continua-t-il en saisissant la main de la vieille, « m'a conduit vers des êtres compatissants, qui ne partagent pas l'exaspération inouïe et féroce qui s'est emparée de tous les habitants de cette île. Ayez la complaisance de me remplir, contre une large récompense, quelques corbeilles de victuailles et de rafraîchissements ; nous n'avons plus que cinq journées de voyage d'ici Port-au-Prince, et si vous nous procurez les vivres nécessaires pour atteindre cette ville, nous nous souviendrons éternellement que vous nous aurez sauvé la vie. » — « Oui, cette furieuse exaspération », dit hypocritement la vieille. « N'est-ce pas comme si les mains d'un même corps ou les dents d'une même bouche voulaient entrer en lutte les unes contre les autres, parce qu'un individu est dissemblable des autres ? Suis-je pour quelque chose, moi, dont le père était de Santiago, dans l'île de Cuba, dans ce reflet de lumière qu'on devine sur mon visage, lorsqu'il fait jour ? Et que peut ma fille, qui fut conçue et naquit en Europe, au fait que son visage réfléchit la pleine lumière de ce continent ? » — « Comment ? » s'écria l'étranger. « Vous qui, d'après la coupe de votre visage, êtes une mulâtresse et qui, de plus, êtes d'origine africaine, vous et l'aimable jeune métisse qui m'ouvrit la porte, partageriez avec nous, Européens, ce même enfer ? » — « Par le ciel ! » répliqua la vieille en enlevant les lunettes de son nez ; « croyez-vous que le petit domaine acquis, au cours de pénibles et misérables années, par le travail de nos mains, n'irrite pas cette cruelle engeance de brigands issus de l'enfer ? Si nous ne savions nous préserver contre leurs persécutions par la ruse et par le génie de ces artifices dont la légitime défense arme la main du faible, ce n'est pas, vous pouvez bien le croire, ce semblant de parenté inscrit sur nos visages qui le ferait ! » — « Ce n'est pas possible ! » s'écria l'étranger ; « et qui vous persécute dans cette île ? » — « Le propriétaire de cette maison », répondit la vieille ; le Nègre Congo Hoango ! Depuis la mort de M. Guillaume, l'ancien propriétaire de cette plantation, qui, dès qu'éclata la révolte, périt de sa main féroce, nous qui, à titre de parentes, dirigeons la maison, nous sommes le jouet de tous ses caprices et de sa violence. Le moindre morceau de pain, la moindre gorgée, le moindre réconfort que, par humanité, nous procurons à l'un ou à l'autre de ces fugitifs blancs, qui parfois passent sur la route, il nous les fait payer par des injures et des mauvais traitements ; il ne souhaite rien tant que de pouvoir exciter les Nègres et diriger leur vengeance contre nous, demi-chiens de Blancs et de Créoles, ainsi qu'il nous appelle, tant pour se débarrasser tout simplement de nous, qui blâmons sa sauvagerie envers les Blancs, que pour s'emparer du petit domaine que nous laisserions après nous. » — « Pauvres femmes ! » dit l'étranger ; « comme vous êtes dignes de pitié ! Et où se trouve en ce moment ce barbare ? » — « À l'armée du général Dessalines », répondit la vieille, « à qui il amène un convoi de poudre et de plomb, dont le général avait besoin. Nous attendons son retour dans dix ou douze jours, s'il ne part pas pour de nouvelles expéditions ; et si, ce dont Dieu veuille nous garder, il apprenait alors que nous avons donné protection et asile à un Blanc qui se dirigeait sur Port-au-Prince, tandis que de toutes ses forces il prend part à l'opération qui doit extirper de l'île toute cette race de Blancs, nous serions, vous pouvez le croire, vouées à la mort. » — « Le ciel, qui aime la compassion et l'humanité », répondit l'étranger, « vous protège pour avoir eu pitié d'un misérable ! Et puisque », ajouta-t-il en s'approchant de la vieille, « vous auriez en ce cas attiré sur vous la colère du Nègre et que l'obéissance, même s'il vous plaisait d'y revenir, ne vous servirait désormais en rien, vous pourriez bien, pour n'importe quelle récompense qu'il vous plairait d'exiger, vous décider à donner asile pour un jour ou deux à mon oncle et à sa famille, qui sont extrêmement fatigués par le voyage, afin qu'ils se reposent un peu ? » — « Mon jeune monsieur », dit la vieille d'un air suffoqué, « que me demandez-vous là ? Comment est-il possible, dans une maison située sur la grand-route, d'héberger une troupe de l'importance de la vôtre sans que sa présence ne soit révélée aux habitants du pays ? » — « Pourquoi pas ? » répliqua l'étranger d'un ton pressant ; « si j'allais moi-même tout de suite jusqu'à l'Étang-aux-Mouettes et qu'avant le lever du jour j'introduise mes compagnons dans la concession, si on logeait tout le monde, maîtres et serviteurs, dans un seul et même local de la maison et qu'en prévision de la pire éventualité, on prît la précaution d'en verrouiller soigneusement portes et fenêtres ? » — La vieille repartit, après avoir réfléchi un certain temps à la proposition, que, s'il voulait en cette même nuit entreprendre de faire sortir tout son monde du ravin de la montagne et l'introduire dans la concession, il ne manquerait pas au retour de se heurter à une bande de Nègres armés, dont quelques tirailleurs envoyés en avant sur la grand-route avaient annoncé l'arrivée. — « Bon ! » répliqua l'étranger ; « contentons-nous pour l'instant de faire parvenir à ces malheureux une corbeille de victuailles et remettons à la prochaine nuit le soin de les introduire dans l'établissement. Voulez-vous faire cela, bonne petite mère ? » — « Eh bien ! » dit la vieille, tandis que l'étranger pressait ses lèvres sur la main noueuse, qu'il couvrait d'innombrables baisers : « en souvenir de cet Européen, qui fut le père de ma fille, j'aurai pour vous, ses compatriotes opprimés, cette complaisance. Mettez-vous à votre table demain au point du jour et écrivez un billet pour inviter les vôtres à descendre chez nous dans l'établissement ; l'enfant que vous avez vu dans la cour leur portera cette lettre avec quelques provisions de bouche, passera la nuit, pour leur sécurité, dans la montagne, et, au lever du jour suivant, si l'invitation est acceptée, reviendra ici en leur servant de guide. »

Entre-temps, Toni était revenue avec un repas qu'elle avait préparé à la cuisine, et, désignant l'étranger du regard, demanda à la vieille d'un air railleur : « Eh bien ! mère, dites-moi. Monsieur s'est-il remis de la frayeur qui le saisit à la porte ? S'est-il convaincu que ni le poison, ni le poignard ne le guettent et que le Nègre Hoango n'est pas à la maison ? » La mère dit avec un soupir : « Mon enfant, chat échaudé craint l'eau froide, dit le proverbe. Monsieur aurait follement agi, s'il s'était risqué dans la maison avant de s'être rendu compte de la race à laquelle appartiennent ses habitants. » La jeune fille s'approcha de sa mère et lui conta comment elle avait tenu la lanterne de façon que tout le rayon lui inondât le visage. « Mais son imagination », ajouta-t-elle, « était toute pleine de Maures et de Nègres ; et si une dame de Paris ou de Marseille lui avait ouvert la porte, il l'aurait prise pour une Négresse. » L'étranger dit, tout en passant doucement son bras autour du jeune corps, que le chapeau qu'elle portait sur la tête l'avait empêché de la dévisager. « Si j'avais pu », continua-t-il en la pressant vivement contre sa poitrine, « te regarder dans les yeux, comme je le puis maintenant, j'aurais voulu, même si tout le reste en toi avait été noir, partager avec toi la même coupe empoisonnée. » À ces mots qu'il avait dits en rougissant, la mère le força à s'asseoir, ce sur quoi Toni prit place près de lui, et, accoudée sur la table, dévisagea l'étranger, tandis qu'il prenait son repas. L'étranger lui demanda son âge et comment s'appelait sa ville natale, ce sur quoi la mère prit la parole et dit qu'il y avait de cela quinze ans, au cours d'un voyage en Europe avec la femme de M. de Villeneuve, son ancien maître, elle avait conçu et mis au monde Toni, à Paris. Elle ajouta que le Nègre Komar que, par la suite, elle avait épousé, avait sans doute adopté Toni, mais qu'en réalité son père était un riche marchand de Marseille, appelé Bertrand, et c'est pourquoi elle s'appelait aussi Toni Bertrand. — Toni lui demanda s'il connaissait en France un monsieur de ce nom. « Non ! » repartit l'étranger ; le pays était trop grand et, pendant le court séjour qu'il y avait fait à l'occasion de son embarquement pour les Indes occidentales, il n'avait rencontré personne de ce nom. La vieille répliqua que, d'après les nouvelles assez sûres qu'elle avait recueillies, M. Bertrand ne se trouvait plus en France. « Le cercle de l'activité bourgeoise ne convenait pas à son naturel avide et ambitieux; lorsque la Révolution éclata, il se mêla aux affaires publiques et partit en 1795 avec une mission française à la cour turque, d'où, à ma connaissance, il n'est, jusqu'à ce jour, pas encore revenu. » L'étranger saisit la main de Toni et lui dit en souriant qu'en ce cas elle serait une demoiselle distinguée et riche. Il l'engagea à faire valoir ces avantages et opina que l'espoir lui était encore permis de pénétrer un jour, au bras de son père, dans un milieu plus brillant que celui dans lequel elle vivait maintenant! — « Difficilement », répliqua la vieille, sans montrer que ce discours la blessait. « Pendant ma grossesse à Paris, M. Bertrand a nié devant le tribunal la paternité de cette enfant. Il en aurait rougi devant la jeune et riche fiancée qu'il voulait épouser. Je n'oublierai jamais le faux serment qu'il eut l'audace de prêter et de me jeter à la face; le résultat en fut une jaunisse et, peu après encore, soixante coups de cravache que M. de Villeneuve me fit donner et qui eurent pour conséquence cette tuberculose dont je suis encore atteinte aujourd'hui. » Toni, pensive, la tête appuyée dans sa main, demanda à l'étranger qui donc il était, d'où il venait et où il allait. Surmontant le court embarras dans lequel l'avaient plongé les propos acerbes de la vieille, il répliqua à cela : qu'il venait de Fort-Dauphin, en compagnie de la famille de M. Strömli, son oncle, qu'il avait laissé, sous la protection de deux jeunes cousins, en montagne, dans la forêt, près de l'Étang-aux-Mouettes. À la prière de la jeune fille, il conta plusieurs faits relatifs à la révolte qui avait éclaté dans cette ville; comment, aux environs de minuit, alors que tout le monde dormait, à un signal traîtreusement donné, s'était déclenché le massacre des Blancs par les Noirs; comment le chef des Nègres, sergent d'une unité française de pionniers, avait eu la cruauté de mettre aussitôt le feu à tous les bateaux qui se trouvaient dans le port pour couper la retraite des Blancs vers l'Europe, comment sa famille avait eu à peine le temps de se sauver et de franchir avec quelques menus bagages les portes de la ville et comment, devant la révolte qui s'allumait à la même heure dans toutes les places de la côte, ils n'avaient plus eu d'autre ressource que de traverser en biais tout le pays pour se diriger, avec l'aide de deux mulets qu'ils s'étaient procurés, vers Port-au-Prince, la seule ville qui fût encore protégée par une forte armée française et qui résistât à ce moment à la puissance victorieuse des Nègres. — Toni demanda comment donc les Blancs s'étaient tant fait haïr dans l'île. L'étranger, interloqué, repartit : « Par les relations générales qu'ils avaient, en tant que maîtres de l'île, avec les Noirs et que, pour être franc, je n'entreprendrai pas de défendre, mais qui existaient ainsi depuis bien des siècles ! La folie de liberté qui s'est emparée de toutes ces plantations a poussé les Nègres et les Créoles à briser les chaînes qui les opprimaient et à se venger sur tous les Blancs de multiples et blâmables sévices qu'ils avaient subis de la part de quelques mauvais Blancs. » — « En particulier », poursuivit-il après un court silence, « l'acte d'une jeune fille m'a semblé particulièrement horrible et étonnant. Précisément au moment où se déchaîna la révolte, cette fille de la race des Nègres était alitée, en proie à la fièvre jaune qui, pour comble de misère, sévissait dans la ville. Elle avait, trois ans auparavant, été l'esclave d'un planteur de la race des Blancs, qui, blessé de ce qu'elle ne s'était pas montrée soumise à ses désirs, l'avait traitée durement et vendue par la suite à un planteur créole. Or lorsque, le jour du soulèvement général, la fille apprit que ce planteur, son ancien maître, s'était enfui devant la fureur des Nègres qui le poursuivaient et s'était caché dans un hangar à bois tout proche, se souvenant des mauvais traitements subis, elle dépêcha vers lui, dès la tombée du jour, son frère pour l'inviter à passer la nuit chez elle. Le malheureux, qui ne savait pas que la fille était souffrante, ni quelle maladie elle avait, vint et, plein de reconnaissance — car il se croyait sauvé — la serra dans ses bras, mais, à peine avait-il passé dans son lit une demi-heure à la caresser et à la cajoler, qu'elle se redressa soudain avec une expression de fureur froide et dit : « Tu as embrassé une pestiférée qui porte la mort dans son sein : va porter la fièvre à tous ceux de ta sorte ! »

Tandis que la vieille manifestait par de grands mots l'horreur que ce fait lui inspirait, l'officier demanda à Toni si elle serait capable d'un acte semblable. « Non », dit Toni, embarrassée, en baissant les yeux. L'étranger, posant sa serviette sur la table, dit qu'à son sens intime, quelle que fût la tyrannie exercée par les Blancs, rien ne pouvait justifier une trahison aussi basse et aussi horrible. La vengeance du ciel, opina-t-il, en se levant avec une expression passionnée, s'en trouvait désarmée : les anges eux-mêmes, révoltés, se mettraient du côté de ceux qui avaient tort et épouseraient leur cause pour rétablir l'ordre humain et divin ! À ces mots, il s'approcha un instant de la fenêtre, et ses regards se perdirent dans la nuit, dont les nuages tourmentés passaient devant la lune et les étoiles, et, comme il lui semblait que la mère et la fille se regardaient, bien qu'il n'eût aucunement remarqué qu'elles se fussent fait des signes, un malaise, une impression d'hostilité l'envahirent ; il se retourna et demanda qu'on voulût bien lui indiquer la chambre où il pourrait dormir.

La mère remarqua, en regardant le cadran, qu'en plus de cela il était près de minuit, prit en main la lumière et invita l'étranger à la suivre. Elle le conduisit, à travers un long couloir, dans la chambre qui lui était destinée. Toni portait le pardessus de l'étranger et plusieurs autres affaires qu'il avait déposées ; la mère lui montra un lit où s'empilaient de confortables coussins et où il devrait dormir, et, après avoir encore ordonné à Toni de préparer à l'hôte un bain de pieds, elle lui souhaita bonne nuit et se retira. L'étranger appuya son épée dans un coin et posa sur la table une paire de pistolets qu'il portait à la ceinture. Pendant que Toni tirait le lit et le recouvrait d'un drap blanc, du regard il examinait la pièce ; et tandis qu'il ne tardait pas, d'après le luxe et le goût qui y régnaient, à conclure qu'elle avait dû appartenir à l'ancien propriétaire de la plantation, un sentiment d'inquiétude, tel un vautour, étreignit son cœur, et il aurait souhaité, tout affamé et altéré qu'il avait été en arrivant, se retrouver parmi les siens dans la forêt. Entre-temps, la jeune fille était allée chercher dans la cuisine toute proche un récipient d'eau chaude parfumée aux herbes odoriférantes et invita l'officier, qui s'était appuyé contre la fenêtre, à s'y délasser. En silence, l'officier enleva sa cravate et son gilet et s'assit sur la chaise ; il s'apprêtait à enlever ses chaussures, et, pendant que la jeune fille s'agenouillait, accroupie devant lui, et pourvoyait aux menus préparatifs du bain, il contemplait sa séduisante silhouette. Les boucles brunes de ses cheveux bouffants avaient glissé, lorsqu'elle s'était agenouillée, sur ses jeunes seins ; une expression de grâce exceptionnelle errait autour des lèvres et des longs cils recourbés sur les yeux baissés. Abstraction faite de ce teint qui le choquait, il eût pu jurer n'avoir jamais rien vu de plus beau. Il fut frappé d'une ressemblance éloignée — il ne savait pas encore au juste avec qui — qu'il avait déjà remarquée en entrant dans la maison et qui attirait vers elle toute son âme. Lorsque, au milieu des soins auxquels elle vaquait, elle se releva, il la saisit par la main, et comme il pensait justement qu'il n'y avait qu'un moyen de savoir si la jeune fille avait ou n'avait pas de cœur, il l'attira sur ses genoux et lui demanda si elle avait déjà été promise à un fiancé. « Non ! » murmura la jeune fille, qui, avec une charmante confusion, baissa à terre ses grands yeux noirs. Elle ajouta, restant assise sans bouger sur ses genoux, que Konelly, un jeune Nègre des environs, avait bien demandé sa main, il y avait de cela trois mois, mais qu'elle l'avait évincé, parce qu'elle était encore trop jeune. L'étranger, qui de ses deux mains tenait serré le corps menu, dit que dans sa patrie, selon un dicton usuel, une jeune fille de quatorze ans et sept semaines était assez grande pour se marier. Tandis qu'elle contemplait la petite croix d'or qu'il portait sur la poitrine, il demanda quel âge elle avait. — « Quinze ans », repartit Toni. — « Eh bien, alors ! » dit l'étranger. « N'a-t-il donc pas la fortune suffisante pour que vous puissiez tous deux, selon tes vœux, installer votre maison ? » Toni, sans lever les yeux vers lui, répliqua : « Oh ! non ! au contraire », dit-elle, en lâchant la croix qu'elle tenait dans la main, « Konelly est devenu un homme riche, depuis le tour qu'ont pris les derniers événements ; toute la plantation qui appartenait autrefois au planteur, son maître, est échue à son père. » — « Pourquoi repousses-tu sa proposition ? » dit l'étranger. Gentiment, il lui écartait les cheveux du front, d'un geste caressant, et dit : « Ne te plaît-il donc pas ? » La jeune fille secoua brièvement la tête et rit, et comme l'étranger, murmurant à son oreille, lui demandait, pour plaisanter, si, par hasard, il fallait que ce fût un Blanc qui gagnât ses faveurs, elle réfléchit un instant, comme en rêve ; une rougeur tout à fait charmante illumina son visage basané et elle s'appuya soudain contre sa poitrine. L'étranger, ému par sa grâce et sa gentillesse, l'appelait sa petite aimée et la serrait dans ses bras comme si une main divine l'avait délivré de toute inquiétude. Il lui était impossible de croire que toutes ces émotions qu'il observait en elle dussent n'être que le misérable langage d'une froide et horrible trahison. Les pensées qui l'avaient agité s'enfuirent comme une bande d'oiseaux sinistres ; il se reprocha d'avoir, ne fût-ce qu'un moment, méconnu son cœur, et tandis qu'il la berçait sur ses genoux et aspirait la douce haleine qui montait vers lui, il appuya, pour ainsi dire en signe d'expiation et de pardon, un baiser sur son front. Cependant, la jeune fille, prêtant soudain l'oreille d'une étrange manière, s'était redressée, comme si elle entendait quelqu'un venir dans le couloir et s'approcher de la porte ; l'air préoccupé et absent, elle remit en place le fichu qui s'était écarté de sa poitrine et, après s'être assurée qu'elle était le jouet d'une illusion, elle se retourna, avec une certaine expression enjouée, vers l'étranger et lui rappela que, s'il ne s'en servait pas bientôt, l'eau refroidirait : « Eh bien ? » dit-elle, étonnée, tandis que l'étranger se taisait et la contemplait d'un air pensif, « pourquoi me regardez-vous si attentivement ? » Elle cherchait, en s'occupant de son corselet, à cacher l'embarras qui s'était emparé d'elle, et elle s'écria en riant : « Étrange monsieur, que trouvez-vous en moi d'extraordinaire ? » L'étranger qui avait passé la main sur son front réprima un soupir et, la soulevant de ses genoux, la déposa à terre en disant : « Une étrange ressemblance entre toi et une amie ! » Toni, qui remarquait que sa gaieté s'était visiblement dissipée, lui prit amicalement la main d'un air compatissant et demanda : « Avec laquelle ? » L'autre, après s'être brièvement recueilli, prit alors la parole et dit : « Elle s'appelait Marianne Congreve et sa ville natale était Strasbourg. J'avais fait sa connaissance dans cette ville peu avant que n'éclatât la Révolution, et j'avais été assez heureux pour qu'elle me donnât sa foi et pour obtenir aussi l'assentiment préalable de sa mère. Hélas ! c'était le cœur le plus fidèle de la terre et, lorsque je te regarde, je revis les circonstances terribles et poignantes, dans lesquelles je la perdis, avec une telle acuité que je ne puis, de douleur, retenir mes larmes. » — « Comment », dit Toni, en se serrant, tendre et câline, contre lui, « elle ne vit plus ? » — « Elle est morte », répondit l'étranger, « et ce n'est qu'à sa mort que j'ai compris tout ce qu'elle incarnait de bonté et de perfection. Dieu sait », poursuivit-il en appuyant douloureusement sa tête sur l'épaule de Toni, « comment j'ai pu pousser l'imprudence jusqu'à me permettre, un soir, de faire des déclarations, en un lieu public, sur ce terrible tribunal révolutionnaire qui venait d'être institué. On me mit en accusation, on me chercha ; et, à défaut de moi, qui avais eu la chance de me sauver dans les faubourgs, la horde furieuse de mes persécuteurs, à qui il fallait une victime, accourut vers la demeure de ma fiancée, et, exaspérés par le fait qu'elle affirmait en toute vérité ne pas savoir où j'étais, ils la traînèrent à ma place, avec une désinvolture inouïe, sur le lieu d'exécution, sous le prétexte qu'elle était de connivence avec moi. À peine m'avait-on rapporté cette effroyable nouvelle que je sortis aussitôt de la cachette où je m'étais réfugié, et tandis que, fendant la foule, j'accourais vers le lieu d'exécution, je hurlais : « Tyrans, me voici ! » Mais elle, qui était déjà montée sur la plate-forme de la guillotine, répondit à la question de quelques juges — à qui malheureusement il fallut que je fusse inconnu — en se détournant de moi avec un regard qui reste ineffaçablement imprimé dans mon âme : « Je ne connais pas cet homme ! » Et là-dessus, au milieu du brouhaha et des roulements de tambour, le couperet, déclenché par ces hommes impatients de voir couler le sang, tomba quelques instants après, séparant la tête du tronc. — Comment ai-je été sauvé, je l'ignore ; un quart d'heure après, je me trouvais dans la maison d'un ami où je tombais de syncope en syncope, et, à demi fou, je fus embarqué vers le soir dans une voiture et transporté au-delà du Rhin. » À ces mots, l'étranger, lâchant la jeune fille, s'approcha de la fenêtre ; et lorsqu'elle le vit, très ému, enfouir son visage dans un mouchoir, un sentiment de pitié, éveillé par de multiples causes, s'empara d'elle ; elle courut tout soudain vers lui, se jeta à son cou et mêla ses larmes aux siennes.

Nous n'avons pas besoin de conter ce qui s'ensuivit, parce que le lecteur le devinera désormais de lui-même. Lorsque l'étranger fut revenu à lui, il ne savait pas à quoi le mènerait l'acte qu'il avait accompli ;

cependant, il entrevit seulement qu'il était sauvé et que, dans cette maison où il se trouvait, il n'avait rien à redouter de la jeune fille. Il fit tout ce qu'il put pour la calmer, lorsqu'il la vit, les bras croisés, pleurer sur le lit. Il enleva de sa poitrine la petite croix d'or, cadeau de la fidèle Marianne, sa fiancée défunte ; et, se penchant sur elle avec mille caresses, il l'accrocha à son cou ; c'était, disait-il, son cadeau de fiançailles. Comme elle pleurait, effondrée, et n'écoutait pas ce qu'il disait, il s'assit sur le bord du lit ; il lui dit, tantôt en baisant, tantôt en caressant sa main, qu'au matin du jour suivant il la demanderait en mariage à sa mère. Il lui décrivit la petite propriété libre et indépendante qu'il possédait sur les bords de l'Aar, une demeure assez confortable et spacieuse pour les accueillir, elle et sa mère, si son âge lui permettait le voyage ; des champs, des jardins, des prairies, des vignobles, et un vieux et respectable père qui la recevrait avec reconnaissance et affection, puisqu'elle avait sauvé son fils. Comme elle inondait l'oreiller d'intarissables torrents de larmes, il la serra dans ses bras et lui demanda, gagné lui-même par l'émotion, quelle peine il lui avait faite et si elle ne pouvait lui pardonner. Il lui jura que jamais l'amour qu'il avait pour elle ne quitterait son cœur et qu'il n'avait pu être entraîné à un tel acte que dans le vertige de ses sens étrangement troublés et par un mélange de désir et d'angoisse qu'elle lui avait inspiré. Il lui rappela enfin que les étoiles de l'aube scintillaient et que, si elle s'attardait plus longtemps dans le lit, sa mère viendrait et l'y surprendrait ; il l'engagea, à cause de sa santé, à se relever et à se reposer encore quelques heures sur sa propre couche ; il lui demanda, plongé par son état dans l'inquiétude la plus affreuse, s'il fallait qu'il la soulevât dans ses bras et la portât dans sa chambre ; mais, comme elle ne répondait pas à toutes ses propositions et que, gémissant tout bas, la tête enfouie dans ses bras, elle restait, sans bouger, étendue sur les coussins en désordre du lit, il ne lui resta plus d'autre parti, clair comme le jour luisant déjà à travers les deux fenêtres, que de la soulever dans ses bras, sans plus de commentaires ; il l'emporta — elle se laissant pendre comme une morte, de son épaule — à travers l'escalier et la monta dans sa chambre, et, après l'avoir déposée sur son lit et lui avoir encore une fois répété avec mille caresses ce qu'il lui avait déjà dit, il l'appela encore sa douce fiancée, appuya un baiser sur ses joues et se hâta de retourner dans sa chambre.

Dès que le jour fut tout à fait éclos, la vieille Babekan se rendit chez sa fille et, s'asseyant sur son lit, lui dévoila le plan qu'elle projetait au sujet de l'étranger et de ses compagnons de voyage. Elle pensait que, puisque le Nègre Congo Hoango ne reviendrait que dans deux jours, il s'agissait uniquement de retenir l'étranger pendant ce temps à la maison, sans y laisser pénétrer la famille de ses proches, dont la présence, en raison de leur nombre, pourrait être dangereuse. À cet effet, dit-elle, elle avait imaginé de faire croire à l'étranger que, d'après une information qu'on venait de recueillir, le général Dessalines s'approchait de cette contrée avec son armée et que, par conséquent, à cause de la gravité du péril, il ne serait possible que dans trois jours, une fois ce péril passé, d'accueillir, ainsi qu'il l'avait souhaité, sa famille dans la maison. Quant à ses compagnons, dit-elle enfin, on devrait les ravitailler entre-temps, afin qu'ils ne poursuivissent pas leur voyage et aussi, pour s'emparer d'eux ultérieurement, les retenir en leur faisant croire qu'ils trouveraient un refuge dans la maison. Elle souligna que l'affaire en valait la peine, car la famille devait traîner avec elle des bagages considérables ; et elle incita sa fille à l'assister de toutes ses forces dans le projet qu'elle venait de lui confier. À demi redressée sur son lit, une rougeur de dégoût effleurant son visage, Toni répliqua qu'il était honteux et bas de violer ainsi les lois de l'hospitalité, quand il s'agissait de gens qu'on avait attirés dans la maison. Elle prétendit qu'un homme persécuté, qui s'en était remis à leur protection, devait être chez elles doublement en sécurité ; et elle assura que, si Babekan ne renonçait pas au plan sanguinaire qu'elle lui avait dévoilé, elle irait sur-le-champ trouver l'étranger et lui dirait le repaire d'assassins qu'était la maison dans laquelle il avait cru trouver son salut. « Toni ! » dit la mère, les poings plantés sur les hanches et en la regardant avec de grands yeux. — « Certainement ! » répliqua Toni en baissant la voix. « Quel mal nous a fait ce jeune homme qui, comme nous l'avons vu, n'est même pas français de naissance, mais suisse — pour que, à la façon des brigands, nous voulions l'assaillir, le tuer et le piller ? Les griefs que l'on a ici contre les planteurs existent-ils aussi dans la partie de l'île d'où il vient ? Tout ne montre-t-il pas, au contraire, que c'est le plus noble et le plus excellent des hommes et qu'il n'approuve certes en aucune manière l'injustice que les Noirs peuvent reprocher à ceux de son espèce ? » — La vieille, qui observait l'étrange expression de la jeune fille, dit simplement, les lèvres tremblantes, qu'elle était étonnée. Elle demanda de quoi s'était rendu coupable le jeune Portugais que, dernièrement, on avait assommé sous le porche à coups de gourdin. Elle demanda quel crime avaient commis les deux Hollandais qui, il y avait trois semaines, étaient tombés dans la cour sous les balles des Nègres. Elle voulut savoir ce qu'on avait eu à reprocher aux trois Français et à tant d'autres fugitifs isolés de la race des Blancs et que l'on avait exécutés dans la maison à coups de carabines, lances et poignards, depuis que la révolte avait éclaté. « Par la lumière du soleil », dit Toni, en se levant d'un bond sauvage, « tu as bien tort de me rappeler ces horribles forfaits ! Les cruautés auxquelles vous m'avez mêlée de force ont depuis longtemps révolté ma conscience intime et, pour détourner de moi la vengeance divine pour tout ce qui s'est passé, je te jure que je mourrai plutôt mille morts que de tolérer que l'on touche seulement à ce jeune homme tant qu'il se trouvera dans notre maison. » — « C'est bien ! » dit la vieille, en ayant soudain l'air de céder, « que l'étranger s'en aille donc ! mais si Congo Hoango revient », ajouta-t-elle, en se levant pour quitter la pièce, « et apprend qu'un Blanc a passé la nuit dans notre maison, tu pourras prendre la responsabilité de la compassion qui t'a poussée à laisser ce Blanc sortir de la maison, malgré l'ordre exprès de Congo Hoango. »

Sur cette déclaration, à travers laquelle perçait, en dépit de toute la mansuétude apparente, la fureur de la vieille, la jeune fille resta seule dans la pièce, en proie à une profonde stupeur. Elle savait trop combien la vieille haïssait les Blancs pour pouvoir croire qu'elle laisserait passer sans en profiter l'occasion d'assouvir cette haine. La crainte que Babekan ne fît avertir les autres plantations et n'appelât les Nègres à l'aide pour maîtriser l'étranger la détermina à s'habiller et à suivre la vieille, sans plus tarder, dans la salle commune du rez-de-chaussée. Tandis que celle-ci, l'air troublé, s'éloignait du buffet dans lequel elle semblait avoir à faire quelque chose et s'asseyait au rouet, Toni alla se placer sous l'avis placardé sur la porte et qui défendait à tous les Noirs, sous peine de mort, de donner asile et protection aux Blancs ; et, comme si, saisie de terreur, elle comprenait pour ainsi dire la faute qu'elle avait commise, elle se retourna soudain et tomba aux pieds de sa mère qui, elle le savait bien, l'avait observée par derrière. Elle la supplia, en enlaçant ses genoux, de lui pardonner les propos déments qu'elle s'était permis de tenir en faveur de l'étranger ; elle invoqua, pour s'excuser, l'état de demi-rêve et de demi-veille dans lequel l'avaient surprise les projets de sa mère pour s'emparer de lui par la ruse, vu qu'elle était alors encore couchée dans son lit, et elle affirma qu'elle le livrerait corps et âme à la vengeance des lois en vigueur dans le pays et qui avaient une bonne fois décidé de sa perte. La vieille, après un silence pendant lequel elle ne cessait d'observer la jeune fille, dit : « Par le ciel, la déclaration que tu me fais lui sauve la vie pour aujourd'hui ! Car, puisque tu menaçais de le prendre sous ta protection, les mets étaient déjà empoisonnés qui, selon l'ordre de Congo Hoango, l'auraient au moins remis mort en sa puissance. » Et là-dessus, elle se leva et vida par la fenêtre un pot qui se trouvait sur la table. Toni, qui n'en croyait pas ses sens, saisie d'effroi, regardait fixement sa mère. La vieille se rassit, releva la jeune fille toujours agenouillée par terre, et lui demanda ce qui avait bien pu transformer ses pensées si subitement au cours d'une seule nuit ; si, après lui avoir préparé son bain, elle était encore restée longtemps auprès de lui et si elle avait beaucoup conversé avec lui. Mais Toni, le sein palpitant, ne répondit pas ou ne répondit rien de précis ; elle restait debout, les yeux à terre, la tête dans les mains, et en accusait un rêve ; mais elle n'avait qu'à jeter un regard sur la poitrine de sa malheureuse mère, dit-elle en se baissant rapidement et en lui baisant la main, pour se remémorer toute la cruauté de la race à laquelle appartenait cet étranger ; et elle l'assura, en se détournant et en pressant son visage dans son tablier, que, dès que le Nègre Hoango serait de retour, elle verrait quelle fille elle avait en elle.

Babekan était toujours assise, plongée dans ses pensées, et se demandait d'où venait l'étrange nervosité de la jeune fille, lorsque l'étranger entra dans la salle avec le billet qu'il avait écrit dans sa chambre, et par lequel il invitait sa famille à passer quelques jours dans la plantation du Nègre Hoango. D'un air très enjoué et aimable, il salua la mère et la fille et demanda, en remettant le billet à la vieille, qu'on voulût bien envoyer sans tarder quelqu'un dans la forêt et prendre soin de ses compagnons, selon la promesse qu'on lui avait faite. Babekan se leva et, déposant le billet dans le placard, dit d'un air inquiet : « Monsieur, il nous faut vous prier de vous en retourner tout de suite dans votre chambre. La route est pleine de bandes isolées de Nègres qui passent et annoncent que le général Dessalines va obliquer vers cette contrée avec son armée. Cette maison, ouverte à tout venant, ne vous offre aucune sécurité, si vous ne vous cachez pas dans votre appartement qui donne sur la cour et si vous ne fermez pas très soigneusement les portes et même les contrevents. » — « Comment ? » dit l'étranger, décontenancé, « le général Dessalines... » — « Ne m'interrogez pas ! » l'interrompit la vieille en frappant par trois fois le plancher avec une canne, « dans votre appartement où je vais vous suivre, je vais tout vous expliquer. » L'étranger, que la vieille refoulait hors de la pièce en faisant des gestes angoissés, se retourna encore une fois sous la porte et s'écria : « Mais n'enverra-t-on pas, au moins, à la famille qui m'attend, un messager qui... » — « On pourvoira à tout », l'interrompit la vieille, tandis qu'entrait, appelé par les trois coups, le jeune bâtard que nous connaissons déjà ; et là-dessus, elle ordonna à Toni qui, tournant le dos à l'étranger, s'était avancée devant le miroir, de prendre la corbeille de victuailles qui se trouvait dans le coin ; et la mère, la fille, l'étranger et l'enfant montèrent dans la chambre à coucher.

Là, la vieille, s'asseyant confortablement dans un fauteuil, raconta que toute la nuit on avait vu luire, sur les montagnes qui délimitaient l'horizon, les feux du général Dessalines, circonstance qui, de fait, n'avait rien d'anormal, bien que, jusqu'à présent, on n'eût pas encore aperçu dans la région un seul des Nègres de son armée, laquelle marchait en direction du sud-ouest, sur Port-au-Prince. Elle réussit ainsi à étourdir l'étranger, à le plonger dans une inquiétude qu'elle sut pourtant apaiser ensuite en lui affirmant qu'elle ferait tout son possible pour le sauver, même dans la malheureuse occurrence où les troupes cantonneraient dans la maison. Comme il lui rappelait encore une fois avec insistance, puisqu'il en était ainsi, de porter secours à sa famille, au moins par l'envoi de victuailles, elle prit la corbeille des mains de sa fille, et, la remettant au garçon, lui dit d'aller dans la montagne voisine, en forêt, jusqu'à l'Étang-aux-Mouettes, et de remettre le panier à la famille de l'officier étranger qui se trouvait là-bas. L'officier même, ajouterait-il, se portait bien ; des amis des Blancs qui, eux-mêmes, avaient beaucoup à souffrir des Noirs à cause du parti qu'ils avaient choisi, avaient eu pitié de lui et l'avaient accueilli dans leur maison. Elle dit enfin que, dès que la grand-route serait débarrassée des bandes de Nègres armés que l'on attendait, on prendrait aussitôt des dispositions pour que cette famille pût trouver un abri dans la maison. — « As-tu compris ? » demanda-t-elle, quand elle eut fini. Le garçon, mettant la corbeille sur sa tête, dit qu'il connaissait bien l'Étang-aux-Mouettes dont elle parlait et où il avait parfois coutume de pêcher avec ses camarades, et qu'il transmettrait tout ce dont on l'avait chargé à la famille de M. l'étranger qui passait la nuit là-bas. Comme la vieille demandait à l'étranger s'il avait encore quelque chose à ajouter, il enleva de son doigt un anneau et le tendit au garçon, en le chargeant de le remettre, comme gage de la véracité du message qu'il allait transmettre, au chef de la famille, M. Strömli. La mère prit ensuite plusieurs dispositions, ayant, disait-elle, pour but, la sécurité de l'étranger ; elle ordonna à Toni de fermer les contrevents et, pour dissiper la nuit qui avait ainsi envahi la pièce, elle alluma, avec un briquet qui se trouvait sur la cheminée, une lampe, non sans peine, d'ailleurs, car l'amadou ne voulait pas prendre. L'étranger profita de cet instant pour passer doucement son bras autour de Toni et lui demanda tout bas à l'oreille comment elle avait dormi et s'il ne fallait pas qu'il instruisît la mère de ce qui s'était passé ; mais à la première question, Toni ne répondit pas, et, à la seconde, elle répliqua, en se dégageant de son étreinte : « Non, si vous m'aimez, pas un mot ! » Elle réprima l'angoisse qu'éveillaient en elle tous ces préparatifs mensongers ; et sous le prétexte de préparer le déjeuner de l'étranger, elle s'enfuit en toute hâte dans la pièce commune du rez-de-chaussée.

Elle retira de l'armoire de sa mère la lettre par laquelle l'étranger, dans son ignorance, avait invité sa famille à suivre le garçon jusque dans la plantation ; et, au petit bonheur, au cas où la mère s'apercevrait de la disparition de la lettre, résolue, en la pire occurrence, à subir la mort avec lui, elle s'élança avec cette lettre à la poursuite de l'enfant déjà parti sur la grand-route. Car, devant Dieu et en son cœur, elle ne considérait plus le jeune homme comme un hôte ordinaire à qui on avait donné abri et protection, mais comme son fiancé et son époux, et elle était décidée, dès que son parti à lui serait assez fort dans la maison, à déclarer tout cela sans réserve à sa mère, sur la stupéfaction de laquelle elle comptait en ce cas. « Nanky », dit-elle, lorsque, rapide et hors d'haleine, elle eut rattrapé l'enfant sur la grand-route, « la mère a changé ses dispositions en ce qui concerne la famille de M. Strömli. Prends cette lettre ! Elle est adressé à M. Strömli, le vieux chef de famille, et contient une invitation, pour lui et son entourage, à séjourner pendant quelques jours dans notre plantation. Sois prudent et ajoute toi-même tout ce qui est capable de faire mûrir leur décision ; Congo Hoango, le Nègre, t'en récompensera à son retour ! » — « C'est bien, c'est bien, cousine Toni ! » répondit le petit. Mettant dans sa poche la lettre soigneusement pliée, il demanda : « Et il faut que je serve de guide à la caravane pour l'amener ici ? » — « Bien sûr », répliqua Toni, « cela est évident, parce qu'ils ne connaissent pas la contrée. Mais comme il est possible que les troupes soient en marche sur la grand-route, tu ne te mettras pas en route avant minuit ; mais alors il faudra accélérer le pas, de façon à être arrivé ici avant le crépuscule de l'aube. Peut-on avoir confiance en toi ? » demanda-t-elle. — « Ayez confiance en Nanky ! » répondit le petit. « Je sais pourquoi vous attirez ces Blancs fugitifs dans la plantation, et le Nègre Hoango sera content de moi ! »

Là-dessus, Toni apporta le déjeuner à l'étranger ;

et, après l'avoir desservi, mère et fille se rendirent dans la pièce commune de la façade pour vaquer à leurs occupations ménagères. Il était inévitable que, au bout de quelques instants, la mère allât à l'armoire et, naturellement, s'aperçût de la disparition de la lettre. N'en pouvant croire sa mémoire, elle porta un instant la main à son front et demanda à Toni où elle pouvait bien avoir mis la lettre que l'étranger lui avait donnée. Toni, après un court silence pendant lequel elle avait gardé les yeux baissés vers le sol, répondit qu'il lui semblait bien que l'étranger l'avait remise dans sa poche et l'avait déchirée, en haut, dans la chambre, en leur présence à toutes deux ! La mère considérait la jeune fille avec de grands yeux ; elle dit se rappeler avec certitude qu'il lui avait remis la lettre en main et qu'elle l'avait posée dans l'armoire ; mais comme, après avoir longtemps cherché en vain, elle ne l'y trouvait pas et qu'en raison de plusieurs accidents semblables elle se défiait de sa mémoire, il ne lui resta plus finalement qu'à accorder crédit à l'opinion que sa fille lui avait exprimée. Cependant, elle ne pouvait réprimer la vive contrariété qu'elle ressentait au sujet de cet incident et pensait que cette lettre, destinée à introduire la famille dans la plantation, eût été pour le Nègre Hoango de la plus grande importance. À midi et au soir, lorsque Toni apporta les mets à l'étranger, la mère s'assit pour lui tenir conversation au coin de la table, et elle saisit plusieurs fois l'occasion de lui demander ce qu'était devenue la lettre ; mais Toni fut assez adroite pour détourner ou embrouiller l'entretien chaque fois qu'il en venait à ce sujet périlleux, de sorte que la mère ne put tirer, des déclarations de l'étranger, aucun éclaircissement sur ce qu'avait bien pu devenir cette lettre. Un jour s'écoula ainsi ; après le dîner, la mère verrouilla, par prudence, dit-elle, la chambre de l'étranger ; et après avoir encore réfléchi avec Toni à la ruse qui, le lendemain, pourrait la remettre en possession d'une lettre semblable, elle alla se reposer et ordonna à la jeune fille d'aller également se coucher.

Dès que Toni, qui avait attendu ce moment-là avec impatience, fut parvenue dans sa chambre et se fut convaincue que sa mère sommeillait, elle plaça l'image de la Sainte Vierge qui était accrochée près de son lit sur un fauteuil et tomba à genoux devant elle, les mains jointes. En une prière d'une infinie ferveur, elle supplia le Sauveur, le Fils divin de la Vierge, de lui donner le courage et la force de faire au jeune homme à qui elle s'était toute donnée l'aveu des crimes qui étouffaient sa jeune âme. Elle fit le vœu, quoi qu'il en coûtât à son cœur, de ne rien taire, même pas l'intention effroyable et impitoyable dans laquelle elle l'avait hier attiré dans la maison ; mais, en raison des démarches qu'elle avait déjà faites pour le sauver, elle espérait qu'il lui pardonnerait, qu'il ferait d'elle sa fidèle épouse et l'emmènerait avec lui en Europe. Merveilleusement fortifiée par cette prière, elle se releva et prit le passe-partout qui ouvrait toutes les pièces de la maison ; elle parcourut lentement, sans lumière, l'étroit couloir qui traversait l'immeuble et conduisait à l'appartement de l'étranger. Elle ouvrit doucement la porte et s'avança vers le lit où il reposait, plongé dans un profond sommeil. La lune éclairait son visage épanoui et le vent nocturne qui pénétrait par les fenêtres ouvertes jouait avec ses cheveux épars sur son front. Elle se pencha doucement sur lui et, aspirant sa douce haleine, l'appela par son nom ; mais il était absorbé par un rêve profond, dont elle semblait être l'objet ; du moins entendit-elle à plusieurs reprises son nom, Toni ! murmuré par ses lèvres tremblantes et brûlantes ; elle ne put se décider à l'arracher à ce paradis de visions aimables pour le plonger dans les bas-fonds d'une misérable et grossière réalité ; et sûre qu'il s'éveillerait tôt ou tard de lui-même, elle s'agenouilla près de son lit et couvrit de baisers sa main chérie.

Mais qui décrira l'effroi qui, quelques instants plus

tard, lui étreignit le cœur, lorsque, soudain, elle perçut, à l'intérieur de la cour, un bruit d'hommes, de chevaux et d'armes, au milieu duquel elle distingua très clairement la voix du Nègre Congo Hoango qui était revenu inopinément, avec toute sa bande, du camp du général Dessalines. Elle se précipita, évitant soigneusement le rayon lunaire qui eût pu la trahir, derrière les rideaux de la fenêtre, et elle entendit aussi sa mère qui instruisait déjà le Nègre de tout ce qui s'était passé entre-temps, sans oublier la présence, en la maison, du fugitif européen. Le Nègre ordonna aux siens d'une voix sourde de ne pas faire de bruit dans la cour. Il demanda à la vieille où se trouvait l'étranger à cette heure ; là-dessus, la vieille lui désigna la chambre et saisit aussitôt également l'occasion de l'entretenir de la singulière et curieuse conversation qu'elle avait eue avec sa fille au sujet de l'étranger. Elle assura le Nègre que sa fille était une traîtresse et que tout ce qu'elle-même avait comploté pour s'assurer de l'homme risquait d'échouer. Du moins la coquine, elle l'avait remarqué, s'était-elle furtivement glissée, à la tombée de la nuit, dans le lit du Blanc, où on la trouverait encore à cette heure, reposant paisiblement ; et, vraisemblablement, si l'étranger ne s'était déjà évadé, il était dès maintenant averti, et tous deux avaient discuté des moyens de mener à bien son évasion. Le Nègre, qui, en des cas semblables, avait déjà éprouvé la fidélité de la jeune fille, répondit que ce n'était pas Dieu possible. Et « Kelly », appela-t-il, furieux, et « Omra, prenez vos carabines ! » Et sur ce, sans ajouter un mot, il escalada l'escalier, escorté de tous ses Nègres, et se rendit dans la chambre de l'étranger.

Toni, devant les yeux de qui s'était jouée toute la scène en quelques minutes, restait là, paralysée de tous ses membres, comme si la foudre l'avait frappée. Elle songea un instant à éveiller l'étranger ; mais, d'une part, la cour étant occupée, aucune évasion ne lui était possible ; d'autre part, elle entrevit qu'il saisirait ses armes et qu'ainsi, vu la supériorité numérique des Nègres, il serait immédiatement étendu raide à terre. Et le plus effroyable était qu'il lui fallait éviter que le malheureux, la trouvant à cette heure auprès de son lit, ne la prît elle-même pour une traîtresse, et qu'au lieu de suivre son conseil, rendu fou par une si fatale illusion, et ayant perdu totalement la tête, il ne se précipitât dans les bras du Nègre Hoango. Dans cette indicible angoisse, elle aperçut soudain une corde qui — le ciel sait par quel hasard — était pendue au portemanteau mural. C'était Dieu lui-même, pensa-t-elle en la décrochant, qui l'avait déposée là pour son salut et celui de son ami. Elle en ligota le jeune homme par les pieds et les mains, en faisant de multiples nœuds ; et après avoir tiré les bouts à elle, sans s'arrêter au fait qu'il remuait et se débattait, et les avoir solidement attachés au bois du lit, heureuse d'être parvenue à se rendre maîtresse du moment présent, elle posa un baiser sur ses lèvres et courut au-devant du Nègre Hoango, qu'un cliquetis annonçait déjà dans l'escalier.

Le Nègre, qui n'accordait encore aucun crédit au récit que la vieille lui avait fait au sujet de Toni, voyant cette dernière sortir de la chambre en question, s'arrêta, suffoqué et décontenancé, dans le couloir, avec son cortège de torches et de gens armés. Il s'écria : « Traîtresse ! Scélérate ! » Et se retournant vers Babekan, qui s'était avancée de quelques pas vers la chambre de l'étranger, il demanda : « L'étranger s'est-il évadé ? » Babekan, qui, sans regarder dans la pièce, avait trouvé la porte ouverte, s'écria comme une folle, en se retournant : « Fourbe ! Elle l'a fait fuir ! Hâtez-vous d'occuper les issues avant qu'il ne puisse gagner la rase campagne ! » — « Qu'y a-t-il ? » demanda Toni, en regardant avec une mine étonnée le vieux entouré de ses Nègres. — « Ce qu'il y a ? » repartit Hoango, et là-dessus il l'empoigna par le corsage et la traîna vers la chambre. « Êtes-vous fou ? » s'écria Toni, en repoussant le vieux qui resta pétrifié devant le spectacle qui s'offrait à ses yeux :

« Voici l'étranger, ligoté par moi dans son lit ; et, par le ciel, ce n'est pas la pire action que j'aie commise en ma vie ! » À ces mots, elle lui tourna le dos et s'assit à une table, faisant mine de pleurer. Le vieux se tourna vers la mère, qui se tenait, déconcertée, à côté de lui et dit : « Ô Babekan, quelle fable ne m'as-tu pas contée ? » — « Le ciel soit loué ! » répondit la mère, en inspectant d'un air embarrassé les cordes qui ligotaient l'étranger ; « l'étranger est là, bien que je ne comprenne rien à tout ce qui s'est passé ! » Le Nègre rengaina son épée, s'approcha du lit et demanda à l'étranger qui il était, d'où il venait, où il allait. Mais comme celui-ci, au milieu des efforts convulsifs qu'il faisait pour se dégager, n'articulait sur un ton lamentablement douloureux que « Oh ! Toni ! Oh ! Toni ! », la mère prit la parole et lui expliqua que c'était un Suisse du nom de Gustave von der Ried et qu'en compagnie de toute une famille de ces chiens d'Européens qui, à l'heure actuelle, se cachaient dans les cavernes de la montagne, à l'Étang-aux-Mouettes, il venait de la ville côtière de Fort-Dauphin. Hoango, voyant la jeune fille assise, immobile, la tête mélancoliquement appuyée dans ses mains, s'approcha d'elle et l'appela sa chère enfant ; il lui tapota les joues et la pria de lui pardonner le soupçon prématuré qu'il lui avait exprimé. La vieille, qui s'était également approchée de la jeune fille, hochait la tête, les deux poings plantés sur les hanches, et lui demanda pourquoi donc elle avait ligoté dans son lit l'étranger qui, pourtant, n'avait rien su du tout du danger dans lequel il s'était trouvé. Toni, pleurant réellement cette fois de douleur et de rage, répondit, en se tournant soudain vers sa mère : « Parce que tu n'as ni yeux ni oreilles ! Parce qu'il comprenait fort bien le danger qui planait sur lui ! Parce qu'il voulait s'évader ; parce qu'il m'avait priée de l'aider à fuir ; parce qu'il complotait contre ta propre vie et qu'au lever du jour il aurait, à n'en pas douter, mis son projet à exécution, si je ne l'avais pas ligoté pendant son sommeil. » Le vieux caressait et calmait la jeune fille et ordonna à Babekan de garder le silence sur ce sujet. À son commandement, quelques tirailleurs s'avancèrent avec leurs carabines pour satisfaire à la loi sous les coups de laquelle l'étranger était tombé ; mais Babekan murmura furtivement à son oreille : « Non, Hoango ! pour l'amour du ciel ! » Elle le prit à part et lui expliqua qu'il fallait, avant d'être exécuté, que l'étranger écrivît une invitation permettant d'attirer dans la plantation cette famille qu'il était pour plusieurs raisons dangereux d'attaquer dans la forêt. — Supputant que la famille ne serait vraisemblablement pas sans armes, Hoango approuva cette proposition ; parce qu'il était trop tard pour, comme projeté, faire écrire la lettre, il plaça deux sentinelles près du Blanc fugitif ; et pour plus de sécurité, après avoir encore inspecté les liens qu'il trouvait trop lâches et appelé quelques gens pour les serrer plus étroitement, il abandonna la chambre, suivi de toute sa troupe et, peu à peu, tout le monde alla se coucher.

Mais Toni n'avait que pour la forme souhaité bonne nuit au vieux qui lui avait encore tendu la main ; elle avait fait semblant de se mettre au lit, et, dès qu'elle constata qu'un silence complet régnait dans la maison, elle se releva, gagna par une porte arrière de la maison la rase campagne et, l'âme en proie au plus violent désespoir, s'élança, sur le chemin de traverse qui coupait la grand-route, en direction du lieu d'où devait venir la famille de M. Strömli. Car les regards pleins de mépris que l'étranger lui avait jetés de son lit l'avaient blessée et lui avaient percé le cœur comme autant de coups de couteau ; son amour pour lui était mêlé d'un sentiment de brûlante amertume, et elle tressaillait de joie à la pensée de mourir en cette expédition entreprise pour le sauver. De crainte de manquer la famille, elle s'appuya contre le tronc d'un pin auprès duquel, dans le cas où l'invitation aurait été acceptée, les voyageurs devraient passer, et à peine le premier rayon de l'aube avait-il pointé à l'horizon que, selon ce qui avait été convenu, la voix de Nanky, l'enfant qui devait servir de guide à la caravane, se faisait déjà entendre de loin à travers les arbres de la forêt.

Le cortège se composait de M. Strömli et de son épouse, qui, elle, chevauchait sur un mulet; de leurs cinq enfants, dont deux, Adalbert et Geoffroy, jeunes gens de dix-huit et dix-sept ans, marchaient à côté du mulet; de trois serviteurs et deux servantes, dont l'une, un nourrisson au sein, chevauchait sur l'autre mulet; en tout, douze personnes. Il avançait lentement sur le chemin traversé de racines de sapins entrelacées, vers le tronc de pin, et Toni, évitant, pour n'effrayer personne, de faire trop de bruit, sortit de l'ombre de l'arbre et cria au cortège : « Arrêtez ! » Le garçon la reconnut aussitôt; et comme elle lui demandait, tandis que l'entouraient hommes, femmes et enfants, où était M. Strömli, Nanky la présenta joyeusement au vieux chef de famille, M. Strömli. « Noble sieur ! » dit Toni, en coupant court d'une voix ferme aux salutations de ce dernier; « le Nègre Hoango est revenu inopinément avec toute sa troupe dans la plantation. Vous ne pouvez désormais y pénétrer qu'en exposant votre vie au plus grave danger; et même votre parent, qui, pour son malheur, y fut accueilli, est perdu si vous ne prenez pas les armes et si vous ne me suivez pas dans la plantation pour le délivrer de la captivité dans laquelle le Nègre Hoango le retient ! » — « Dieu du ciel ! » s'écrièrent tous les membres de la famille, saisis de terreur; et la mère, malade et épuisée par le voyage, tomba, du haut de son mulet, sans connaissance, à terre. Tandis que, à l'appel de M. Strömli, les servantes se précipitaient au secours de leur maîtresse, Toni, assaillie de questions par les jeunes gens, emmenait M. Strömli et les autres hommes à l'écart, par crainte du petit Nanky. Elle raconta à ces hommes, sans pouvoir, de honte et de repentir, retenir ses larmes, tout ce qui s'était passé; quelle était la situation dans la maison à l'arrivée du jeune homme; comment la conversation qu'elle avait eue en tête à tête avec lui avait modifié cette situation d'une manière totalement inexplicable ; ce que, presque folle d'angoisse, elle avait fait à l'arrivée du Nègre et comment, maintenant, elle risquerait tout, même sa vie, pour le délivrer d'une captivité à laquelle elle l'avait elle-même livré. « Mes armes ! » s'écria M. Strömli en se précipitant vers le mulet de sa femme et en décrochant sa carabine. Tandis qu'Adalbert et Geoffroy, ses fils vigoureux, et les trois courageux serviteurs s'armaient, il dit : « Cousin Gustave a sauvé la vie à plus d'un d'entre nous ; maintenant, c'est notre tour de lui rendre le même service », et, sur ce, il assit sur le mulet sa femme qui s'était remise, fit, par prudence, lier les mains au petit Nanky en guise d'otage ; renvoya toute la troupe des femmes et des enfants à l'Étang-aux-Mouettes, sous la simple protection de son fils Ferdinand, âgé de treize ans, également armé ; et, après avoir encore questionné Toni, qui avait pris elle aussi un casque et une pique, sur la force des Nègres et la façon dont ils étaient répartis dans la cour, et après lui avoir promis, autant que faire se pourrait, d'épargner dans cette entreprise sa mère et Hoango, il se plaça courageusement à la tête de sa petite troupe, s'en remettant à Dieu, et, conduit par Toni, pénétra dans la plantation.

Dès que la troupe se fut, par la porte de derrière, infiltrée dans la plantation, Toni montra à M. Strömli la chambre où Hoango et Babekan reposaient ; et tandis que M. Strömli entrait sans bruit avec ses gens dans la maison ouverte, et s'emparait de tous les fusils des Nègres rassemblés en faisceaux, elle se glissa à l'écart jusque dans l'écurie où dormait le demi-frère de Nanky, Seppy, âgé de cinq ans. Car le vieil Hoango chérissait beaucoup ses bâtards, Nanky et Seppy, surtout ce dernier, dont la mère était morte récemment ; et comme, même dans le cas où on délivrerait le jeune prisonnier, la retraite vers l'Étang-aux-Mouettes et, de là, la fuite vers Port-au-Prince, à laquelle Toni pensait se joindre, ne se passeraient pas sans maintes difficultés, elle ne se trompait pas en déduisant que la possession de deux enfants comme gages serait pour la troupe, en cas de poursuite par les Nègres, d'un grand intérêt. Elle réussit à enlever l'enfant de son lit, sans être remarquée, et à l'emporter mi-endormi, mi-éveillé, dans ses bras jusque dans le bâtiment central. Pendant ce temps, M. Strömli et ses gens étaient parvenus, aussi furtivement que faire se pouvait, jusqu'à la porte de la chambre de Hoango ; mais, au lieu de les trouver au lit, lui et Babekan, comme il croyait, tous deux, éveillés par le bruit, se tenaient, il est vrai, à demi nus et désemparés, au milieu de la pièce. M. Strömli, prenant en main sa carabine, s'écria qu'il leur fallait se rendre ou qu'ils étaient perdus ! Mais, pour toute réponse, Hoango décrocha du mur un pistolet et tira dans la foule, éraflant M. Strömli à la tête. À ce signal, les gens de M. Strömli se ruèrent sur lui avec fureur ; après un second coup de pistolet qui transperça l'épaule d'un serviteur, Hoango fut blessé à la main d'un coup de sabre, et Babekan et lui furent tous deux terrassés et attachés avec des cordes aux pieds d'une grande table. Entre-temps, les Nègres de Hoango, — ils étaient vingt et plus, — éveillés par les coups de feu, se précipitaient hors de leurs cases et, entendant la vieille Babekan crier à l'intérieur, ils se ruaient avec furie contre la maison pour reconquérir leurs armes. C'est en vain que M. Strömli, dont la blessure était insignifiante, postait ses gens aux fenêtres de la maison et faisait tirer sur les Nègres à coups de carabine, pour tenir en respect ces gaillards ; sans prendre garde aux deux morts qui gisaient déjà dans la cour, ils allaient quérir haches et leviers pour enfoncer la porte de la maison que M. Strömli avait verrouillée, lorsque Toni, tremblante et chancelante, entra dans la chambre de Hoango, portant dans ses bras le petit Seppy. M. Strömli, jugeant cette apparition fort opportune, lui arracha l'enfant des bras ; tirant son couteau de chasse, il se tourna vers Hoango et lui jura qu'il allait immédiatement tuer l'enfant s'il ne criait pas aux Nègres de renoncer à leur projet. Hoango, dont la force était brisée par le coup de sabre reçu sur les trois doigts de la main et qui, au cas où les Nègres auraient refusé d'obéir, aurait plutôt offert sa propre vie, repartit, après quelque hésitation et en se faisant relever de terre, qu'il allait intervenir ; conduit par M. Strömli, il se mit à la fenêtre, et, faisant avec un mouchoir qu'il tenait de la main gauche des signaux vers la cour, il cria aux Nègres de ne pas toucher à la porte — car il n'avait besoin de personne pour sauver sa vie — et de retourner dans leurs cases ! Sur ce, le combat se calma un peu ; sur le désir de M. Strömli, Hoango envoya un Nègre capturé dans la maison répéter son ordre aux troupes qui demeuraient en délibérant dans la cour ; et comme il fallait bien que les Noirs, si peu qu'ils comprissent à l'affaire, se rendissent aux discours formels de cet ambassadeur, ils renoncèrent à leur projet pour l'exécution duquel tout était déjà prêt, et ils rentrèrent peu à peu, non sans murmurer et jurer, dans leurs cases. Tout en faisant lier les mains du petit Seppy sous les yeux de Hoango, M. Strömli disait à ce dernier qu'il n'avait d'autre intention que de délivrer l'officier, son cousin, de la captivité à laquelle on l'avait condamné dans la plantation et que, si on ne mettait aucun obstacle à sa fuite vers Port-au-Prince, il n'y avait rien à craindre ni pour sa vie à lui, Hoango, ni pour celle de ses enfants, qu'il lui rendrait. Babekan, de qui Toni s'approchait et à qui, avec une émotion qu'elle ne pouvait réprimer, elle voulait tendre la main en guise d'adieu, la repoussa violemment loin d'elle. Elle la traita de scélérate et de traîtresse et dit, en se retournant contre les pieds de table auxquels elle était ligotée, que la vengeance divine l'atteindrait avant qu'elle ne pût se réjouir de son infamie. Toni répondit : « Je ne vous ai pas trahis ; je suis une Blanche et fiancée au jeune homme que vous retenez prisonnier ; j'appartiens à la race de ceux contre qui vous menez une guerre déclarée, et je saurai répondre devant Dieu du fait que je me suis mise de leur côté. »

Sur ce, M. Strömli, qui, pour plus de sûreté, avait fait renchaîner le Nègre Hoango, puis solidement ligoter aux montants de la porte et garder à vue, ordonna de relever et d'emporter le serviteur qui gisait à terre, évanoui, l'omoplate fracassée ; et après avoir encore dit à Hoango qu'il pourrait, dans quelques jours, faire chercher les deux enfants, aussi bien Nanky que Seppy, à Sainte-Lucie où se trouvaient les premiers avant-postes français, il prit par la main Toni — qui, assaillie de mille sentiments divers, ne pouvait s'empêcher de pleurer — et l'entraîna hors de la chambre, sous les malédictions de Babekan et du vieil Hoango.

Pendant ce temps, dès la fin du premier et principal combat qu'on avait livré des fenêtres, les fils de M. Strömli, Adalbert et Geoffroy, s'étaient précipités, sur l'ordre de leur père, dans la chambre de leur cousin Gustave et avaient été assez heureux pour maîtriser, après une âpre résistance, les Noirs qui le gardaient. L'un gisait mort dans la chambre ; l'autre, grièvement blessé par un coup de fusil, s'était traîné jusqu'au couloir. Les frères, dont l'un, l'aîné, avait lui-même, au cours de la lutte, été blessé — légèrement sans doute — à la cuisse, délièrent leur cher cousin ; ils le serrèrent dans leurs bras, l'embrassèrent et l'engagèrent, exultant de joie, en lui donnant armes et fusil, à les suivre dans la chambre du devant, où, la victoire étant acquise, M. Strömli prenait déjà sans doute toutes dispositions pour se retirer. Mais cousin Gustave, à demi redressé dans son lit, leur serra amicalement la main ; par contre, il se taisait, distrait, et, au lieu de saisir les pistolets qu'ils lui tendaient, il leva la main droite et se la passa sur le front avec une indicible expression de douleur. Les jeunes gens, qui s'étaient assis à son chevet, lui demandèrent ce qu'il avait ; et, comme il les enlaçait et appuyait sans mot dire sa tête contre l'épaule du cadet, Adalbert voulait déjà se relever et, croyant qu'il allait défaillir, aller lui chercher de l'eau à boire, quand Toni, le petit Seppy dans les bras, entra dans la chambre, tenant M. Strömli par la main. À cette vue, Gustave changea de couleur, et se relevant, il empoigna, comme s'il allait tomber, ses amis à bras-le-corps ; et, avant que les jeunes gens ne sussent ce qu'il allait faire du pistolet qu'il leur prenait maintenant des mains, gémissant de rage, il déchargeait l'arme sur Toni. Le coup lui avait traversé la poitrine ; et, tandis que, étouffant un cri de douleur, elle faisait encore quelques pas vers lui et, au moment où elle remettait l'enfant à M. Strömli, s'écroulait à ses pieds, il faisait voler le pistolet au-dessus d'elle, la repoussait du pied loin de lui, et, la traitant de fille perdue, il se rejeta sur le lit. « Monstre ! » s'écrièrent M. Strömli et ses deux fils. Les jeunes gens se précipitèrent sur la jeune fille, la relevèrent et appelèrent l'un des vieux serviteurs qui, en maints autres cas désespérés semblables, avait déjà fait office de médecin ; mais la jeune fille, qui maintenait convulsivement la main sur sa blessure, repoussa les amis et : « Dites-lui !... » balbutia-t-elle, en râlant et en désignant celui qui avait tiré sur elle et elle répéta : « Dites-lui !... » — « Que faut-il que nous lui disions ? » demanda M. Strömli, tandis que la mort ravissait la parole à Toni. Adalbert et Geoffroy se relevèrent et crièrent à l'auteur de cet horrible et incompréhensible meurtre s'il savait que c'était la jeune fille qui l'avait sauvé, qu'elle l'aimait et qu'elle avait eu l'intention de fuir vers Port-au-Prince avec lui, à qui elle avait tout sacrifié, parents et biens ? — Ils hurlèrent à son oreille : « Gustave ! » et lui demandèrent s'il n'entendait pas ; ils le secouèrent et le tirèrent par les cheveux ; car il restait impassible sur le lit, sans les écouter. Gustave se redressa. Il jeta un regard sur la jeune fille qui se roulait dans son sang ; et la fureur qui l'avait poussé à cet acte cédait naturellement le pas à un sentiment de commisération.

M. Strömli, qui pleurait des larmes brûlantes, demanda : « Pourquoi, misérable, as-tu fait cela ? » Cousin Gustave, qui s'était relevé du lit et qui, en s'épongeant la sueur du front, considérait la jeune fille, répondit que, dans la nuit, elle avait eu l'infamie de le ligoter et de le livrer au Nègre Hoango. « Hélas ! » s'écria Toni, en étendant la main vers lui avec un indescriptible regard, « je t'ai ligoté, cher ami, parce que... ! » Mais elle ne put parler, ni l'atteindre de la main ; ses forces s'évanouirent et elle retomba dans les bras de M. Strömli. « Pourquoi ? » demanda Gustave, livide, en s'agenouillant devant elle. Après un long silence que coupait seul le râle de Toni et pendant lequel on avait vainement espéré d'elle une réponse, M. Strömli prit la parole et dit : « Parce que, malheureux ! après l'arrivée de Hoango, il n'y avait pas d'autre moyen de te sauver ; parce qu'elle voulait éviter le combat que tu n'aurais pas manqué de livrer ; parce qu'elle voulait gagner du temps jusqu'à ce que nous qui, grâce aux dispositions prises par elle, accourions déjà, nous puissions te libérer par la force, les armes à la main. » Gustave cacha son visage entre ses mains. « Oh ! » s'écria-t-il, sans lever les yeux ; il lui sembla que la terre s'ouvrait sous ses pieds : « ce que vous me dites est-il vrai ? » Il passa ses bras autour du corps de Toni et, le cœur lamentablement broyé, contempla son visage. « Hélas ! » s'écria Toni, et ce furent ses dernières paroles : « Tu n'aurais pas dû te méfier de moi ! » Et sur ce, elle exhala sa belle âme. De désespoir, Gustave s'arrachait les cheveux. « Certes », dit-il, tandis que ses cousins l'entraînaient loin du corps ; « je n'aurais pas dû me méfier de toi, car tu t'étais fiancée à moi, tu t'en étais fait le serment, en dépit de ce que nous n'avions échangé de vive voix aucune promesse ! » M. Strömli dégrafa en gémissant le corselet qui enlaçait les seins de la jeune fille. Il invita le serviteur qui se tenait près de lui avec quelques grossiers instruments de secours à extirper la balle, qui, pensait-il, devait se trouver dans le sternum ; mais, ainsi qu'il a été dit, toute tentative fut vaine. Toni avait été complètement transpercée par la charge et son âme avait déjà fui vers de meilleures étoiles. — Cependant, Gustave s'était approché de la fenêtre, et tandis que M. Strömli et ses fils, versant de silencieuses larmes, discutaient entre eux sur ce qu'il fallait faire du corps et se demandaient si l'on ne devait pas appeler la mère, Gustave se tira dans la tête la balle dont était chargé l'autre pistolet. Devant ce nouvel acte terrifiant, toute la famille resta totalement abasourdie. On abandonna Toni pour porter secours à Gustave ; mais le malheureux avait le crâne complètement fracassé, et, comme il s'était mis le pistolet dans la bouche, des morceaux de crâne avaient giclé alentour jusqu'aux murs. M. Strömli fut le premier qui reprit ses esprits. Car, comme la pleine clarté du jour paraissait déjà à travers les fenêtres et que l'on apprenait que les Nègres recommençaient à se montrer dans la cour, il ne restait plus rien à faire qu'à penser, sans plus tarder, à la retraite. On plaça les deux corps qu'on ne voulait pas abandonner à la violence et aux fantaisies des Nègres sur une planche, et, après avoir rechargé les carabines, le triste cortège prit le chemin de l'Étang-aux-Mouettes. M. Strömli, le petit Seppy dans les bras, allait en avant ; le suivaient les deux plus forts serviteurs, qui portaient les cadavres sur leurs épaules ; appuyé sur un bâton, le blessé suivait d'un pas chancelant ; et Adalbert et Geoffroy escortaient, carabines chargées, le funèbre cortège, qui progressait lentement. Lorsque les Nègres s'aperçurent que la petite troupe était si peu nombreuse, ils sortirent de leurs demeures avec piques et fourches et semblèrent vouloir les attaquer ; mais Hoango, qu'on avait pris la précaution de délivrer de ses liens, sortit sur l'escalier de sa maison et leur fit signe de rester tranquilles. « À Sainte-Lucie ! » lui cria M. Strömli, qui, avec les cadavres, franchissait déjà le porche. « À Sainte-Lucie ! » répondit celui-ci ; ce sur quoi, le convoi gagna la campagne sans être poursuivi et atteignit le bois. À l'Étang-aux-Mouettes, où l'on retrouva la famille, on creusa, en versant bien des larmes, une tombe aux cadavres ; et, après qu'on eut encore interchangé les bagues qu'ils portaient à la main, on les descendit, en priant tout bas, dans les demeures de l'éternelle paix.

M. Strömli fut assez heureux pour atteindre, cinq jours plus tard, avec sa femme et ses enfants, Sainte-Lucie, où, selon sa promesse, il laissa les deux petits Nègres. Peu avant le commencement du siège, il entra à Port-au-Prince, où il combattit encore sur les remparts pour la cause des Blancs ; et lorsque, après une âpre défense, la ville se rendit au général Dessalines, il se sauva avec l'armée française sur un vaisseau de la flotte anglaise, d'où la famille s'embarqua pour l'Europe et atteignit sans autre contretemps la Suisse, sa patrie. Avec les débris de sa petite fortune, M. Strömli y acquit une propriété dans la région du Righi et, en 1807, on pouvait encore voir, parmi les buissons de son jardin, le monument qu'il avait fait ériger à son cousin Gustave et à la fiancée de ce dernier, la fidèle Toni.

Traduction par M.-L. Laureau.

# LA MENDIANTE DE LOCARNO

*(Das Bettelweib von Locarno)*

Le récit est inspiré par une aventure arrivée à Friedrich von Pfuel, frère d'Ernest, l'ami de Kleist, chez un vieil oncle à Gielsdorf. Il est écrit en octobre 1810 pour les *Berliner Abendblätter* où il paraîtra le 11 du même mois. Il sera recueilli dans le deuxième volume des *Récits* (*Erzählungen*, 1811).

A.F.

Le récit est inspiré par un événement arrivé [illegible] [illegible], vers l'âge [illegible] d'Ernest, l'ami de Kleist, chez un vieil oncle à [illegible]. Il est écrit en octobre 1810 pour les *Berliner Abendblätter* où il paraîtra le 11 du même mois. Il sera recueilli dans le deuxième volume des *Récits* (*Erzählungen*, 1811).

# LA MENDIANTE DE LOCARNO

Au pied des Alpes, à Locarno, en Italie septentrionale, se trouvait un vieux château appartenant à un marquis et dont on voit maintenant les ruines et les décombres quand on vient du Saint-Gothard : château aux vastes et hautes pièces, dans l'une desquelles une vieille femme malade, qui s'était présentée à la porte en mendiant, fut un jour recueillie par la maîtresse de maison et couchée, par pitié, sur de la paille qu'on y avait répandue pour elle. Le marquis, qui revenait de la chasse, entra par hasard dans cette pièce, où il avait coutume de déposer ses fusils, et ordonna impatiemment à la femme de se lever du coin dans lequel elle était couchée et de s'en aller derrière le poêle. En se levant, la femme glissa avec sa béquille sur le sol et se blessa dangereusement aux reins ; de sorte que, si elle se releva pourtant avec une peine indicible et traversa de biais la pièce, ainsi qu'il lui était prescrit, ce fut pour s'affaisser en gémissant et soupirant derrière le poêle et mourir.

Plusieurs années plus tard, alors que, par suite de la guerre et de la mauvaise récolte, le marquis était dans de graves embarras d'argent, descendit chez lui un chevalier florentin qui voulait lui acheter le château pour la beauté du site. Le marquis qui tenait beaucoup à ce marché, chargea sa femme de loger l'étranger dans ladite pièce restée inoccupée et qui était fort joliment et richement installée. Mais quelle ne fut pas la stupéfaction du couple lorsque, au milieu de la nuit, le chevalier descendit les trouver, pâle et égaré, jurant ses grands dieux qu'il y avait des revenants dans la pièce, que quelque chose, qui avait échappé à ses regards, s'était relevé dans le coin de la chambre, avec un bruit de paille foulée, avait lentement traversé de biais la chambre, à pas distincts et chancelants, et s'était affaissé en gémissant et soupirant derrière le poêle.

Le marquis, effrayé sans trop savoir pourquoi, se moqua du chevalier avec une sérénité affectée, dit qu'il allait se lever de suite et, pour le tranquilliser, passer avec lui la nuit dans cette chambre. Mais le chevalier le pria d'être assez aimable pour lui permettre d'achever la nuit dans la chambre du marquis, sur un fauteuil ; et au matin, il fit atteler, prit congé et s'en alla.

Cet incident, qui fit énormément de bruit, effraya et écarta plusieurs acquéreurs, ce qui était pour le marquis extrêmement désagréable ; et comme, chose incompréhensible et déconcertante, le bruit courait, parmi ses propres gens de maison, qu'on entendait marcher dans cette chambre vers minuit, il décida, pour couper court à cette rumeur, de faire une expérience décisive et d'examiner lui-même l'affaire la nuit suivante. A la tombée du crépuscule, il fit donc dresser son lit dans ladite chambre et attendit minuit sans dormir. Mais quelle ne fut pas son émotion lorsque, en effet, quand sonna l'heure des spectres, il perçut l'inexplicable bruit ; il semblait qu'un être se relevait de la paille qui crissait sous lui, traversait la pièce de biais et s'affaissait en soupirant et râlant derrière le poêle. Lorsqu'il descendit le lendemain matin, la marquise lui demanda comment s'était passée l'épreuve ; il jeta alors autour de lui des regards timides et incertains et, après avoir poussé le verrou de la porte, l'assura que l'histoire du fantôme était vraie ; à ces mots, elle tressaillit comme elle ne l'avait jamais fait de sa vie et le pria, avant de laisser l'affaire s'ébruiter, de procéder encore une fois, de sang-froid, en sa compagnie, à un examen des faits. Mais effectivement, la nuit suivante, ils entendirent, eux et un serviteur qu'ils avaient pris avec eux, le même bruit inexplicable et fantomatique ; et seul l'ardent désir de se débarrasser du château, à n'importe quel prix, leur donna la force de réprimer, en présence de leur serviteur, l'effroi qui s'emparait d'eux et d'expliquer la chose par quelque cause fortuite, sans importance qu'on finirait bien par découvrir. Au soir du troisième jour où, pour trouver le fin mot de l'énigme, tous deux, le cœur battant, montaient encore l'escalier qui conduisait à la chambre d'amis, le chien de la maison, que l'on avait détaché, se trouva par hasard devant la porte de cette chambre ; de sorte que tous deux, sans s'expliquer exactement pourquoi, peut-être dans l'intention obscure d'avoir encore près d'eux un tiers vivant, firent entrer avec eux le chien dans la pièce. Après avoir posé deux chandelles sur la table, le couple s'étendit, vers onze heures, chacun sur son lit, la marquise non déshabillée, le marquis avec épée et pistolet qu'il avait sortis de l'armoire et mis à côté de lui ; et tandis qu'ils essaient, tant bien que mal, de converser, le chien se couche recroquevillé, tête à queue, au milieu de la pièce et s'endort. Alors, à l'heure de minuit, se fait encore entendre l'effroyable bruit ; quelqu'un que personne ne peut voir de ses yeux, se redresse, dans le coin de la pièce, sur ses béquilles ; on entend crisser la paille sous lui ; et, au premier pas, clac, clac ! le chien s'éveille, se relève soudain du sol en dressant les oreilles, grogne, aboie, se gare en reculant vers le poêle, comme si quelqu'un s'avançait vers lui. A cette vue, la marquise bondit hors de la pièce, les cheveux dressés sur la tête, le marquis saisit son épée et s'écrie : « Qui vive ? » et comme personne ne répond, fend l'air de son épée, dans tous les sens, avec frénésie ; pendant ce temps, elle fait atteler, décidée à partir sur-le-champ à la ville.

Le temps de rassembler quelques affaires, et avant même que la voiture en franchisse à grand fracas le portail, elle voit déjà des flammes s'élever du château, partout à l'entour. Le marquis, affolé, hors de lui, avait pris une chandelle et, fatigué de vivre, avait mis le feu aux quatre coins de ce château entièrement lambrissé de bois. C'est en vain que la marquise envoya des gens à son secours ; il avait déjà trouvé la mort la plus lamentable ; et maintenant encore ses blancs ossements, recueillis par les paysans, reposent dans ce coin de la pièce d'où il avait ordonné à la mendiante de Locarno de se lever.

Traduction de M.-L. LAUREAU.

# L'ENFANT TROUVÉ

*(Der Findling)*

# L'ENFANT TROUVÉ

*(Der Findling)*

La nouvelle est écrite en 1811, pour compléter le deuxième volume des *Récits* (*Erzählungen*, 1811).

L'influence de *Tartuffe* est évidente ; Kleist fait explicitement allusion à la pièce (IV, 7) lorsque Nicolo, en « parfait émule de Tartuffe », ordonne à Piachi de quitter sa maison (p. 185). L'influence de *Nathan le Sage* de Lessing est sensible aussi : le rapport entre Elvire et Colino rappelle celui de Recha et de son sauveteur. Une autre source est une fable de Gaius Iulius Hyginius, où un serviteur, voyant Laodamia embrasser une image de son époux mort, croit qu'elle a un amant et la dénonce à son père.

En italien, *Colino* est le diminutif de *Niccolo*, mais l'identité des deux noms échappe à Kleist.

A. F.

# L'ENFANT TROUVÉ

Un riche marchand de biens de Rome, Antonio Piachi, était obligé de faire parfois de grands voyages pour ses affaires. Ordinairement, il avait alors coutume de laisser sa jeune femme Elvire à Rome, sous la protection de sa famille. L'un de ces voyages le conduisit à Raguse avec son fils Paolo, un enfant de douze ans, que lui avait donné sa première femme. Il se trouva qu'une maladie dans le genre de la peste venait de s'y déclarer, qui plongeait dans un grand effroi la ville et la contrée à l'entour. Piachi, à qui cette nouvelle n'était venue aux oreilles qu'en cours de route, s'arrêta dans les faubourgs pour se renseigner sur la nature de cette maladie. Mais quand il entendit dire que le mal s'aggravait de jour en jour et qu'on se préparait à fermer les portes de la ville, le souci de son fils fit taire tous les intérêts commerciaux : il prit des chevaux et repartit.

Lorsqu'il fut dans la campagne, il remarqua près de sa voiture un enfant qui, dans une attitude suppliante, tendait vers lui les mains et semblait être en proie à une grande agitation. Piachi fit arrêter la voiture, et, lorsqu'il lui demanda ce qu'il voulait, l'enfant répondit innocemment qu'il était atteint de la maladie, que les exempts de police le poursuivaient pour le mettre à l'hôpital, où son père et sa mère étaient déjà morts, et, par tous les saints, il le suppliait de l'emmener et de ne pas le laisser périr dans la ville. En disant cela, il saisissait la main du vieux, la serrait, la baisait et la mouillait de ses larmes. Dans le premier mouvement d'effroi, Piachi voulut repousser l'enfant loin de lui ; mais comme, au même moment, celui-ci changeait de couleur et tombait évanoui sur le sol, le bon vieux fut pris de compassion ; il descendit avec son fils, déposa l'enfant dans la voiture et poursuivit sa route avec lui, bien qu'il ne sût en aucune façon ce qu'il allait faire du petit.

À la première halte, il négociait encore avec ses hôtes sur la façon de se débarrasser de lui, lorsque, sur l'ordre de la police qui avait eu vent de l'histoire, il fut arrêté, et, sous bonne garde, lui, son fils et Nicolo — ainsi s'appelait l'enfant malade — furent ramenés à Raguse. Toutes les protestations de Piachi contre la cruauté de cette mesure ne servirent à rien ; arrivés à Raguse, tous trois furent conduits, sous la surveillance d'un exempt, à l'hôpital, où lui-même, Piachi, resta, il est vrai, indemne, où Nicolo, l'enfant, guérit de son mal, mais où son fils de onze ans, Paolo, atteint de ce mal, mourut en trois jours.

Alors les portes de la ville furent rouvertes, et, après avoir enterré son fils, Piachi reçut de la police la permission de voyager. Il venait, très ébranlé par la douleur, de monter en voiture et, à la vue de la place qui restait vide à ses côtés, il sortait son mouchoir pour laisser couler ses larmes, lorsque Nicolo, casquette à la main, s'approcha de la voiture et lui souhaita un heureux voyage. Piachi se pencha par la portière et lui demanda, d'une voix entrecoupée de violents sanglots, s'il voulait partir avec lui. Dès qu'il eut seulement compris le vieux, l'enfant secoua la tête et dit : « Oh ! oui, très volontiers », et comme le marchand de biens demandait aux directeurs de l'hôpital s'il était bien permis à l'enfant de partir et que ceux-ci l'assuraient en souriant qu'il n'avait plus que Dieu pour père et que personne ne le réclamerait,

Piachi l'aida à monter dans la voiture et, lui donnant la place de son fils, l'emmena à Rome.

Ce n'est que sur la route, devant les portes de la ville, que le courtier en domaines dévisagea bien l'enfant. Il était d'une beauté particulière, un peu figée ; ses mèches de cheveux noirs partant du front pendaient sans apprêt et ombrageaient un visage sérieux et sage qui jamais ne changeait d'expression. Le vieux lui posa plusieurs questions, auxquelles l'autre ne répondit que brièvement : peu bavard et renfermé, il était assis dans son coin, les mains dans les poches, et regardait de ses yeux timides et pensifs les objets qui défilaient devant la voiture. De temps en temps, d'un mouvement calme et silencieux, il sortait de sa poche une poignée de noix qu'il avait sur lui et, tandis que Piachi essuyait les larmes qui coulaient de ses yeux, l'enfant introduisait les noix entre ses dents, les faisait craquer et les ouvrait.

À Rome, après un bref récit de ce qui était arrivé, Piachi le présenta à Elvire, sa charmante jeune femme, qui ne put certes pas se retenir, au souvenir de Paolo, son petit beau-fils, qu'elle avait beaucoup aimé, de pleurer de tout son cœur, mais qui, pourtant, serra contre sa poitrine Nicolo, si étranger qu'il fût et si raide qu'il se tînt devant elle, lui donna pour couche le lit dans lequel l'autre avait dormi et lui fit cadeau de tous les habits de l'enfant mort. Piachi l'envoya à l'école où il apprit à lire, à écrire et à compter, et comme — ce qui est facile à concevoir — il avait pris l'enfant en affection dans la mesure même où les circonstances le lui avaient rendu cher, il l'adopta comme fils, au bout de quelques semaines, avec le consentement de la bonne Elvire, qui ne pouvait plus espérer avoir d'enfant de son vieux mari. Plus tard, il congédia un commis dont il était mécontent pour plusieurs raisons, et lorsque, à la place de ce dernier, il établit Nicolo dans son commerce, il eut la joie de voir que celui-ci gérait aussi activement et aussi avantageusement que possible les vastes affaires dans lesquelles il était engagé. Le père, qui était un ennemi juré de toute bigoterie, n'avait rien à lui reprocher que la fréquentation d'un couvent de Carmes qui, à cause de la fortune considérable qui lui reviendrait un jour de la succession du vieux, étaient très dévoués au jeune homme et lui manifestaient une grande bienveillance ; et, de son côté, la mère n'avait rien à lui reprocher qu'un penchant pour le sexe féminin, penchant qu'elle croyait voir s'éveiller prématurément dans le cœur de Nicolo. Car, dès ses quinze ans, il fut, à l'occasion de ses visites aux moines, la proie d'une certaine Xaviera Tartini, la maîtresse de leur évêque, et bien que — le vieux l'ayant rigoureusement exigé — il eût été contraint de rompre cette liaison, Elvire avait plus d'une raison de croire que, sur ce dangereux terrain, sa continence n'était pas précisément bien grande. Mais lorsque, à vingt ans, Nicolo épousa Constanza Parquet, une jeune et aimable Génoise, nièce d'Elvire, sous la surveillance de qui elle avait été élevée à Rome, il sembla au moins que ce dernier mal était enrayé à la source ; les deux parents s'accordaient pour être contents de Nicolo, et, pour le lui prouver, on lui donna en partage une dot magnifique et lui aménagea une partie importante de la belle et spacieuse demeure. Bref, lorsque Piachi eut atteint sa soixantième année, il fit l'ultime et extrême geste qu'il pouvait faire pour lui : il lui transmit par voie légale, à l'exception d'un petit capital qu'il se réservait, toute la fortune sur laquelle reposait son commerce de biens et se retira des affaires avec sa fidèle et excellente Elvire, qui avait peu d'exigences en ce monde.

Elvire avait gardé l'âme empreinte d'une tristesse secrète qui lui venait d'une poignante aventure de son enfance. Son père, Philippo Parquet, un teinturier aisé de Gênes, habitait une maison dont, ainsi que son métier l'exigeait, la façade arrière surplombait directement la rive marine maintenue par des pierres de taille ; de grandes poutres, enchâssées dans le pignon et auxquelles on suspendait les draps teints, s'avançaient de plusieurs coudées au-dessus de la mer. En une fatale nuit, le feu prit dans la maison et, comme si la bâtisse avait été en poix ou en soufre, il éclatait et crépitait en même temps dans toutes les pièces qui la composaient ; Elvire, âgée alors de treize ans, s'enfuit, chassée de partout par les flammes, d'escalier en escalier, et se retrouva, elle ne savait elle-même comment, sur l'une de ces poutres. La pauvre enfant, planant entre ciel et terre, ne savait guère comment se sauver ; derrière elle, le pignon en feu, dont le brasier, fouetté par le vent, avait déjà commencé à dévorer la poutre, et, sous elle, la vaste mer, terrifiante et déserte. Elle s'apprêtait déjà, se recommandant à tous les saints, entre deux maux choisissant le moindre, à sauter dans les flots, lorsque, soudain, un jeune Génois, de la race des patriciens, parut à l'entrée, jeta son manteau sur la poutre, saisit Elvire à bras-le-corps, et, avec autant de courage que d'adresse, se laissa glisser le long de l'un de ces draps humides qui pendaient de la poutre, avec la jeune fille, dans la mer. Là, des gondoles qui flottaient dans le port les recueillirent et les ramenèrent, sous les longues acclamations du peuple, sur la berge ; mais il se trouva qu'en traversant la maison le jeune héros avait déjà été grièvement blessé à la tête par une pierre tombée de la corniche ; aussi perdit-il bientôt connaissance et tomba, raide, à terre. Comme son rétablissement traînait en longueur, le marquis, son père, dans l'hôtel de qui on l'avait transporté, appela de toutes les provinces d'Italie des médecins qui, à différentes reprises, le trépanèrent et lui enlevèrent plusieurs os du crâne ; mais, par une incompréhensible volonté du ciel, toute science fut vaine ; il ne se leva que rarement, au bras d'Elvire que sa mère avait appelée pour le soigner et, après trois années de lit où le malade souffrit à l'extrême et pendant lesquelles la jeune fille ne le quitta pas, il lui tendit une dernière fois la main amicalement et rendit l'âme.

Piachi, qui entretenait avec la maison de seigneur

des relations commerciales, y avait fait la connaissance d'Elvire, lorsqu'elle soignait le jeune homme ; il l'avait épousée deux ans plus tard, et se gardait bien de prononcer son nom devant elle ou de la faire en quelque manière penser à lui, parce qu'il savait que cela remuait au plus profond son âme sensible et belle. La moindre circonstance qui lui rappelait, même de loin, le temps où le jeune homme avait souffert et était mort pour elle, l'émouvait toujours jusqu'aux larmes, et alors elle ne pouvait ni se consoler, ni se calmer ; où qu'elle fût, elle s'en allait à l'écart, et personne ne la suivait, pour avoir déjà éprouvé que tout autre moyen était inutile et qu'il n'y avait qu'à la laisser tranquillement pleurer sa douleur dans la solitude. Personne, en dehors de Piachi, ne connaissait la cause de ces fréquentes et étranges crises ; car jamais, tant qu'elle vécut, un mot concernant cette aventure n'était sorti de ses lèvres. On avait l'habitude de les attribuer à un système nerveux qu'elle avait gardé très irritable depuis une fièvre chaude contractée aussitôt après son mariage, et on avait mis ainsi un point final à toutes les recherches sur l'origine de ces crises.

Un jour, Nicolo, en compagnie de cette Xaviera Tartini, avec qui, malgré la défense de son père, il n'avait jamais complètement rompu tout rapport, était allé au Carnaval en secret, à l'insu de son épouse, sous le fallacieux prétexte qu'il était invité chez un ami ; et en un costume de chevalier génois qu'il avait choisi par hasard, il revint chez lui tard dans la nuit, alors que tout le monde dormait. Il se trouva que le vieux avait eu soudain un malaise et qu'Elvire, pour lui porter secours, s'était levée, à défaut de domestiques, et était allée dans la salle à manger pour lui chercher une bouteille de vinaigre. Elle venait d'ouvrir une armoire qui se trouvait dans un coin et, debout sur le bord d'une chaise, elle cherchait parmi les verres et les carafons, lorsque Nicolo ouvrit doucement la porte et, avec une lumière qu'il avait allumée dans le vestibule, il traversa la pièce avec chapeau à plumes, cape et épée. Ne se doutant de rien, sans voir Elvire, il alla à la porte qui conduisait à sa chambre à coucher, et il venait de remarquer avec stupéfaction qu'elle était fermée à clef, lorsque, derrière lui, comme frappée par un invisible éclair, Elvire tomba, à sa vue, bouteilles et verres en mains, du tabouret sur lequel elle était montée, sur les dalles du sol. Blême de frayeur, Nicolo se retourna et voulut porter secours à la malheureuse ; mais, comme le bruit qu'elle avait fait devait nécessairement attirer le vieux, la crainte de recevoir de lui une remontrance refoula toute autre considération ; avec une hâte désordonnée, il lui arracha de la ceinture le trousseau de clefs qu'elle portait sur elle et, en ayant trouvé une qui convenait, il rejeta le trousseau dans la pièce et disparut. Bientôt après, comme Piachi, tout malade qu'il fût, avait sauté du lit et relevé Elvire, et que, serviteurs et servantes même, sonnés par lui, étaient apparus avec des lumières, Nicolo arriva également en robe de chambre et demanda ce qui s'était passé ; mais comme Elvire, la langue paralysée par l'effroi, ne pouvait parler et qu'en dehors d'elle, lui seul pouvait donner quelque éclaircissement à cette question, le fond de l'affaire resta enveloppé d'un éternel mystère ; on porta Elvire, qui tremblait de tous ses membres, dans son lit où elle resta pendant plusieurs jours, en proie à une violente fièvre — mais, par la vertu naturelle de son tempérament, elle surmonta la crise et, à part une étrange mélancolie qui lui resta, elle se rétablit à peu près.

Ainsi s'écoula une année, lorsque Constanza, l'épouse de Nicolo, accoucha et mourut en couches ainsi que l'enfant qu'elle avait mis au monde. Ce fait, regrettable en soi, parce que disparaissait une créature vertueuse et bien élevée, le fut doublement, parce qu'il rouvrit portes et vannes aux deux passions de Nicolo — sa bigoterie et son penchant pour les femmes. Des journées entières, sous prétexte de se consoler, il se remit à errer dans les cellules des Carmes, bien que, au temps où vivait sa femme, son attachement pour elle eût été notoirement pauvre d'amour et de fidélité. Bien mieux ; Constanza n'était pas encore en terre qu'Elvire, entrant vers le soir dans la chambre de Nicolo, pour s'occuper des préparatifs de l'enterrement, avait déjà trouvé près de lui une jeune personne, fardée et pomponnée, qu'elle ne connaissait que trop bien comme étant la soubrette de Xaviera Tartini. À cette vue, Elvire baissa les yeux, fit demi-tour sans mot dire et quitta la chambre ; ni Piachi, ni personne n'entendit parler de cet incident ; elle se contenta, le cœur affligé, de s'agenouiller et de pleurer auprès du corps de Constanza, qui avait beaucoup aimé Nicolo. Mais il se trouva, par hasard, que Piachi, qui avait été en ville, rencontra, en rentrant chez lui, la jeune personne et, comme il voyait bien ce qu'elle était venue faire, il l'aborda brusquement et réussit à lui arracher, autant par la ruse que par la force, la lettre qu'elle portait sur elle. Il alla la lire dans sa chambre et y trouva — ce qu'il avait prévu — une instante prière de Nicolo à Xaviera, par laquelle il la suppliait de lui fixer lieu et heure, en vue d'un rendez-vous qu'il désirait ardemment. Piachi s'assit et, d'une écriture contrefaite, répondit au nom de Xaviera : « Tout de suite, avant la nuit, à l'église de la Madeleine. » Il apposa sur ce billet un cachet aux armes étrangères et le fit immédiatement porter dans la chambre de Nicolo, comme s'il venait de la dame. La ruse réussit pleinement ; Nicolo prit sur-le-champ son manteau et, oubliant Constanza, qui était exposée dans son cercueil, il sortit de la maison. Là-dessus, Piachi, profondément humilié, décommanda les funérailles solennelles fixées au lendemain ; il fit enlever le corps, tel qu'il était exposé, par des croque-morts, et, en la seule présence d'Elvire, de lui-même et de quelques parents, le fit inhumer sans bruit en l'église de la Madeleine, dans le caveau qu'on avait préparé pour elle. Nicolo qui, drapé dans son manteau, se trouvait sous les voûtes de l'église et qui, à sa stupéfaction, voyait s'avancer un cortège funèbre bien connu, demanda au vieux qui suivait le cercueil ce que cela signifiait et qui on amenait là. Mais celui-ci, son livre de prières en main, répondit simplement, sans lever la tête : « Xaviera Tartini. » Puis, comme si Nicolo n'avait pas du tout été présent, le corps fut à nouveau découvert, béni par les assistants, puis descendu et scellé dans le caveau.

Cet incident, qui l'humilia profondément, éveilla dans le cœur du misérable une haine ardente contre Elvire ; car c'est à elle qu'il croyait être redevable de l'affront que le vieux lui avait infligé devant tout le monde. Plusieurs jours durant, Piachi ne lui adressa pas la parole ; et comme, malgré tout, à cause de la succession de Constanza, Nicolo avait besoin de la bienveillance et de la complaisance du vieux, il se vit contraint un soir de lui prendre la main et de lui promettre, en simulant le repentir, de rompre immédiatement et à jamais avec Xaviera. Mais il n'avait guère l'intention de tenir sa promesse ; au contraire, la résistance qu'on lui opposait ne faisait qu'exaspérer son insolence et le perfectionnait dans l'art de tromper l'attention de l'honnête vieillard. Par contre, Elvire ne lui avait jamais semblé plus belle qu'au moment où, pour sa perte à lui, elle avait ouvert, puis refermé la porte de la chambre dans laquelle se trouvait la jeune soubrette. Le dégoût qui enflammait ses joues d'une douce rougeur répandait un charme infini sur son fin visage qui n'était que rarement animé par des émotions ; il lui semblait incroyable qu'avec tant d'attraits séducteurs elle ne dût pas parfois errer elle-même sur le sentier dont elle venait de le châtier si honteusement de cueillir les fleurs. Il brûlait d'envie, au cas où il en serait ainsi, de lui rendre auprès du vieux le même service qu'elle-même venait de lui rendre, et il ne cherchait et ne désirait plus que l'occasion de mettre en pratique cette résolution.

Un jour, à une heure où Piachi se trouvait justement hors de la maison, il passait devant la chambre d'Elvire et, à sa stupéfaction, il entendit quelqu'un y parler. Tressaillant d'espoirs furtifs et sournois, il se baissa, braquant yeux et oreilles vers la serrure et — ciel ! qu'aperçut-il ? Elle était là, en une pose extasiée, aux pieds de quelqu'un, et, bien qu'il ne pût reconnaître la personne, il perçut fort distinctement chuchoté, avec le véritable accent de l'amour, le mot Colino. Le cœur battant, il se posta dans la fenêtre du couloir, d'où, sans trahir son intention, il pouvait observer l'entrée de la chambre ; et déjà, au bruit léger qui se fit à l'endroit du verrou, il croyait venu le moment inestimable où il pourrait démasquer l'hypocrite, lorsque, au lieu de l'inconnu qu'il attendait, Elvire elle-même sortit de la chambre, sans être accompagnée de qui que ce fût, et jeta sur lui un regard lointain, parfaitement calme et indifférent. Elle avait sous le bras une pièce de lin tissée par elle ; et, après avoir fermé son appartement avec une clef prise à sa ceinture, elle descendit tout tranquillement l'escalier, la main appuyée sur la rampe. Cette dissimulation, cette apparente indifférence lui semblèrent le comble de l'impudence et de la perfidie, et à peine avait-elle disparu de sa vue qu'il courait déjà chercher un passe-partout, et après avoir, d'un œil timide, un peu inspecté les lieux ambiants, il ouvrit furtivement la porte de l'appartement. Mais quel ne fut pas son étonnement de le trouver entièrement vide et de n'y découvrir, dans les coins et recoins qu'il explora et fouilla, rien qui eût seulement quelque ressemblance humaine ; rien, si ce n'est l'image d'un jeune chevalier, en grandeur naturelle, dressée dans une niche murale, derrière un rideau de soie rose et éclairée d'une lumière particulière. Nicolo sursauta sans savoir lui-même pourquoi ; et, devant les grands yeux du portrait qui regardaient fixement, une foule de pensées lui traversèrent la tête : mais, avant qu'il les eût rassemblées et ordonnées, la crainte d'être découvert et confondu par Elvire s'emparait déjà de lui ; en proie à un trouble extrême, il referma la porte et s'éloigna.

Plus il réfléchissait à cet étrange incident, plus il

attachait d'importance à l'image qu'il avait découverte, et plus la curiosité le torturait et le brûlait de savoir de qui il s'agissait. Car, à en croire la silhouette entrevue, elle était prosternée à genoux, et il n'était que trop certain que celui devant qui cela s'était passé n'était autre que cette figure de jeune chevalier projetée sur la toile. Dans l'agitation qui s'emparait de son âme, il alla trouver Xaviera Tartini et lui raconta l'étrange aventure qu'il avait vécue. Celle-ci, qui tombait d'accord avec lui sur l'intérêt qu'il y avait à perdre Elvire, — car toutes les difficultés qu'ils rencontraient dans leur liaison venaient d'elle, — exprima le désir de voir un jour l'image dressée dans la chambre d'Elvire. Car elle pouvait se vanter d'avoir de vastes relations parmi les gentilshommes d'Italie et, au cas où celui dont il s'agissait serait venu à Rome, ne fût-ce qu'une fois, et serait un personnage de quelque importance, elle pouvait espérer le connaître. Or, il se trouva bientôt que les deux époux Piachi, voulant rendre visite à un parent, partirent un dimanche à la campagne ; et à peine Nicolo sut-il ainsi le champ libre qu'il accourait déjà chez Xaviera et, avec une petite fille qu'elle avait eue du cardinal, l'amenait dans la chambre d'Elvire, la donnant pour une dame étrangère qui désirait voir tableaux et broderies. Mais quelle ne fut pas la surprise de Nicolo lorsque la petite Clara (c'est ainsi que s'appelait la fille de Xaviera), sitôt le rideau levé, s'écria : « Dieu du ciel ! seigneur Nicolo, qui est-ce, sinon vous-même ? » Xaviera se tut. Le portrait, en effet, à le bien contempler, avait avec lui une ressemblance frappante, surtout lorsque, avec un effort de mémoire, elle l'évoquait en ce costume de chevalier dans lequel, quelques mois auparavant, il avait été en cachette au Carnaval avec elle. Nicolo chercha, en plaisantant, à chasser une rougeur subite qui se répandait sur ses joues ; il dit, en embrassant la fillette : « En vérité, très chère Clara, l'image me ressemble comme tu ressembles à celui qui croit être ton père ! » Mais Xaviera, dans l'âme de qui s'était éveillé l'amer sentiment de la jalousie, jeta sur lui un regard : s'approchant du miroir, elle dit que, finalement, peu importait qui était cet homme ; elle prit assez froidement congé de lui et quitta la chambre.

Dès que Xaviera se fut éloignée, cette scène laissa Nicolo dans la plus vive agitation. Il se rappela, avec un plaisir extrême, l'étrange et violente crise dans laquelle son apparition fantastique avait, en cette nuit mémorable, plongé Elvire. La pensée d'avoir éveillé la passion de cette femme, qui passait pour un modèle de vertu, le piquait presque autant que le besoin de se venger d'elle ; et, comme s'ouvrait devant lui la perspective de satisfaire d'un seul et même coup l'une et l'autre passion, il attendit avec une grande impatience le retour d'Elvire et l'heure où un regard d'elle consacrerait sa conviction branlante. Dans le vertige qui s'était emparé de lui, rien ne le troublait que le souvenir précis qu'Elvire — en ce jour où il l'épiait par le trou de la serrure — avait appelé le portrait devant lequel elle était agenouillée : Colino ; mais, même dans le son de ce nom, qui n'était pas précisément usité dans le pays, il y avait quelque chose qui — il ne savait pas pourquoi — enchantait son âme et le plongeait dans de doux rêves, et dans l'alternative où il était de se défier de l'un de ses deux sens, de son œil ou de son oreille, il penchait, comme il se doit, pour ce qui flattait le plus vivement ses désirs.

Cependant, ce n'est qu'au bout de quelques jours qu'Elvire revint de la campagne, et, comme elle ramenait de la maison du cousin à qui elle avait rendu visite une jeune parente désireuse de voir Rome, elle ne jeta — occupée qu'elle était d'entourer de gentillesses la jeune fille — qu'un furtif et insignifiant coup d'œil sur Nicolo, qui l'aidait très aimablement à descendre de voiture. Plusieurs semaines, consacrées à l'amie qu'on hébergeait, s'écoulèrent dans une agitation inaccoutumée pour la maison ; à l'intérieur et à l'extérieur de la ville, on visita ce qui pouvait être curieux pour une personne jeune et enjouée comme elle était ; et Nicolo, qui, à cause des affaires commerciales, n'était pas invité à toutes ces promenades, retomba, en ce qui concernait Elvire, dans la pire des humeurs. Il recommença, torturé par les sentiments les plus amers, à penser à cet inconnu qu'elle adorait en une secrète extase ; et ce sentiment, surtout le soir du départ depuis longtemps ardemment et impatiemment attendu de la jeune parente, déchira son cœur ravagé lorsque Elvire, au lieu de s'entretenir maintenant avec lui, resta, sans mot dire, assise à la table de la salle à manger, occupée pendant toute une heure à un petit ouvrage féminin. Il se trouva que, quelques jours auparavant, Piachi avait demandé un coffret contenant de petites lettres d'ivoire, au moyen desquelles on avait instruit Nicolo dans son enfance et que, puisque personne ne s'en servait plus, le vieux avait pensé donner à un enfant du voisinage. La servante, que l'on avait chargée de les chercher parmi beaucoup d'autres affaires, n'avait cependant plus trouvé que les six lettres qui formaient le nom de Nicolo ; sans doute avait-on moins pris garde aux autres, qui n'avaient qu'un moindre rapport avec l'enfant et qui, peu importe en quelle circonstance, avaient été égarées. Or, comme Nicolo prenait en main ces lettres, qui étaient depuis plusieurs jours sur la table, et que, méditant de tristes pensées, il jouait avec elles, le bras appuyé sur la table, il trouva — par hasard, en vérité, car il en fut surpris comme il ne l'avait jamais été de sa vie — la combinaison qui formait Colino. Nicolo, qui ignorait les propriétés logogriphiques de son nom, jeta, à nouveau repris d'espoirs extravagants, un regard incertain et timide sur Elvire, assise près de lui. La concordance que l'on trouvait établie entre les deux noms lui semblait plus qu'un simple hasard ; tout en réprimant sa joie, il calculait la portée de cette étrange découverte et, retirant ses mains de la table, il attendit avec impatience, le cœur battant, le moment où Elvire lèverait les yeux et apercevrait le nom ouvertement formé là. L'attente dans laquelle il était ne le déçut donc nullement ; car, à peine Elvire, dans un moment de répit, eut-elle remarqué la disposition des lettres et se fut-elle, naïvement et sans penser plus loin, — elle était en effet un peu myope, — penchée vers elles pour les lire, qu'elle effleura d'un regard étrangement gêné le visage de Nicolo qui, les yeux baissés, les contemplait, semblait-il, avec indifférence ; puis elle reprit son ouvrage avec une mélancolie qu'on ne peut décrire et, se croyant inobservée, elle laissa tomber une à une des larmes sur ses genoux, en rougissant légèrement. Nicolo, qui, sans la regarder, observait toutes ces émotions intimes, ne douta plus du tout que dans cette transposition des lettres Elvire cachât rien d'autre que son propre nom à lui. Il la vit soudain brouiller doucement les lettres, et ses tumultueux espoirs devinrent une conviction absolue lorsqu'elle se leva, mit de côté son ouvrage et disparut dans sa chambre à coucher. Il voulait déjà se lever et la suivre, lorsque Piachi entra et demanda où était Elvire : il apprit d'une servante qu'elle ne se trouvait pas bien et s'était allongée sur son lit. Sans manifester précisément une grande surprise, Piachi fit demi-tour et alla voir ce qu'elle faisait, et, comme il revenait un quart d'heure plus tard, en annonçant qu'elle ne viendrait pas à table et ne se répandait pas en paroles plus explicites, Nicolo crut avoir trouvé la clef dc toutes les scènes énigmatiques analogues qu'il avait vécues.

Le lendemain matin, comme il était occupé, dans sa joie infâme, à supputer le profit qu'il espérait tirer de cette découverte, il reçut un billet de Xaviera, dans lequel elle le priait de venir la voir, car elle avait à lui communiquer sur Elvire quelque chose qui l'intéresserait. Par l'évêque qui l'entretenait, Xaviera se trouvait en très étroites relations avec les moines du couvent des Carmes, et comme la mère de Nicolo allait à confesse dans ce couvent, il ne douta pas qu'il eût été possible à Xaviera de recueillir, sur la secrète histoire des sentiments d'Elvire, des renseignements qui pussent le confirmer dans ses espoirs monstrueux. Mais quelle ne fut pas sa déconvenue quand, après l'accueil bizarre et narquois de Xaviera, elle l'attira avec un sourire sur le divan sur lequel elle était assise et lui dit qu'il lui fallait lui communiquer simplement que l'objet de l'amour d'Elvire était un mort qui dormait depuis douze ans déjà dans la tombe. — Aloysius, marquis de Montferrat, à qui un oncle de Paris, chez qui il avait été élevé en Italie, avait donné le surnom de Collin, plaisamment transformé plus tard, en Italie, en Colino, était l'original du portrait que Nicolo avait découvert dans la niche de la chambre d'Elvire, derrière le rideau de soie rose ; c'était le jeune chevalier génois qui l'avait, dans son enfance, si généreusement sauvée du feu et était mort des blessures reçues au cours de ce sauvetage. Elle ajouta qu'elle le priait seulement de ne pas faire plus ample usage de ce secret qui lui avait été confié au couvent des Carmes, sous le sceau de la plus entière discrétion, par une personne qui, elle-même, n'y était pas précisément autorisée. Nicolo affirma, en pâlissant et rougissant tour à tour, qu'elle n'avait rien à craindre, et, totalement incapable, devant les regards malicieux de Xaviera, de cacher l'embarras dans lequel l'avait plongé cette révélation, il prétexta une affaire qui l'appelait, prit, avec un tressaillement mauvais de la lèvre supérieure, son chapeau, fit ses adieux et s'en alla.

La honte, la volupté et la vengeance s'unirent désormais pour faire éclore le plan de l'action la plus abominable qui ait jamais été accomplie. Il sentait bien qu'il ne pouvait aborder la pure âme d'Elvire que par une supercherie, et à peine Piachi, qui partait pour quelques jours à la campagne, lui eut-il laissé le champ libre, qu'il prenait déjà ses dispositions pour exécuter le plan satanique qu'il avait conçu. Il se procura de nouveau le même costume dans lequel, quelques mois auparavant, revenant en cachette, la nuit, du Carnaval, il était apparu à Elvire ; et après avoir revêtu manteau, collet et chapeau à plumes à la mode génoise, exactement semblables à ceux du portrait, il s'introduisit, peu avant l'heure du coucher, dans la chambre d'Elvire, accrocha un drap noir devant le portrait dressé dans la niche et, un bâton à la main, exactement dans la pose du jeune patricien de l'image, attendit les hommages d'Elvire. Avec la perspicacité de son infâme passion, il ne s'était pas trompé dans son calcul ; car à peine Elvire, qui ne tarda pas à entrer, eut-elle, après s'être, selon son habitude, paisiblement et tranquillement déshabillée, tiré le rideau de soie qui recouvrait sa niche et l'eut-elle aperçu, qu'elle s'écriait déjà : « Colino ! mon bien-aimé ! » et elle s'affaissa évanouie sur les dalles du sol. Nicolo sortit de la niche ; il resta un instant absorbé dans la contemplation de ses charmes et considéra son fin visage qui pâlissait déjà sous le baiser de la mort ; mais bientôt il la prit, car il n'y avait pas de temps à perdre, dans ses bras, et, après avoir arraché le drap noir du portrait, la porta sur le lit qui se trouvait dans un coin de la chambre. Cela fait, il alla verrouiller la porte, mais s'aperçut qu'elle était déjà fermée à clef ; et, sûr qu'après avoir repris ses sens bouleversés elle n'offrirait aucune résistance en voyant son apparition fantastique, il revenait maintenant vers le lit et s'efforçait de la rappeler à la vie en couvrant de baisers brûlants ses seins et ses lèvres. Mais la Némésis, qui est sur les talons du crime, voulut que Piachi, que le misérable croyait absent pour plusieurs jours encore, eût à rentrer chez lui, justement à cette heure-là ; doucement sur la pointe des pieds, car il croyait qu'Elvire dormait déjà, il traversa le couloir et, comme il portait toujours la clef sur lui, il réussit à entrer inopinément dans la chambre sans qu'aucun bruit eût annoncé sa venue. Nicolo était là, comme frappé par la foudre ; il se jeta, puisqu'il n'y avait aucun moyen de masquer sa scélératesse, aux pieds du vieux et, l'assurant que plus jamais il ne jetterait un regard sur sa femme, il lui demanda pardon. Et de fait, le vieux inclinait à régler l'affaire sans bruit; Elvire — qu'il tenait enlacée dans ses bras et qui s'était remise en jetant sur le misérable un regard d'effroi — Elvire venait de prononcer quelques paroles; il prit simplement, sans mot dire, après avoir fermé les rideaux du lit sur lequel elle reposait, le fouet accroché au mur, ouvrit la porte à Nicolo et lui montra le chemin qu'il avait à prendre immédiatement. Mais celui-ci, parfait émule de Tartuffe, n'entrevit pas plus tôt que ce chemin ne le mènerait à rien, qu'il se relevait soudain et déclarait au vieux que c'était à lui de vider les lieux, car c'était lui, Nicolo, légalement et de par des documents irrécusables, le propriétaire, et qu'il saurait contre qui que ce fût au monde faire valoir ses droits. — Piachi n'en croyait pas ses sens; comme désarmé par cette audace inouïe, il lâcha le fouet, prit chapeau et canne, courut sur-le-champ chez un vieil ami juriste, le docteur Valerio, fit à son coup de sonnette sortir une servante qui lui ouvrit la porte et tomba, en arrivant dans la chambre de Valerio, sans connaissance au pied de son lit, avant même d'avoir pu articuler un mot. Le docteur, qui le recueillit, lui et par la suite aussi Elvire dans sa maison, courut dès le lendemain matin pour rendre vaines les prétentions du satanique coquin, qui avait pour lui toutes sortes d'avantages : mais pendant que Piachi faisait jouer ses leviers impuissants pour l'expulser des propriétés qui lui avaient un jour été attribuées par écrit, Nicolo, muni de notes résumant tout le détail de ces propriétés, courait au couvent des Carmes, ses amis, et les invitait à le protéger contre le vieux fou qui voulait l'en chasser. Bref, comme il consentit à épouser Xaviera, dont l'évêque voulait se débarrasser, la méchanceté triompha et, sur l'entremise de ce seigneur ecclésiastique, le gouvernement signa un décret qui confirmait Nicolo dans son droit de propriété et par lequel il était enjoint à Piachi d'avoir à ne pas l'y importuner.

Piachi avait justement enterré la veille la malheureuse Elvire qui était morte d'une fièvre chaude provoquée par cette affaire. Exaspéré par cette double douleur, il se rendit, le décret en poche, dans sa maison et, les forces décuplées par la fureur, il terrassa Nicolo, qui était d'une constitution plus faible, et lui écrasa la tête contre le mur. Les gens qui étaient dans la maison ne l'aperçurent que lorsqu'il eut accompli cet acte ; ils le découvrirent, serrant encore Nicolo entre ses genoux et lui enfonçant le décret dans la bouche. Cela fait, il se leva, en rendant toutes ses armes ; il fut mis en prison, subit un interrogatoire et fut condamné à être passé par la corde de vie à trépas.

Dans les États de l'Église règne une loi d'après laquelle aucun criminel ne peut être conduit à la mort avant d'avoir reçu l'absolution. Lorsque Piachi eut été condamné à mort, il refusa obstinément l'absolution. Après qu'on eut en vain tenté tout ce que la religion offrait de ressources pour lui faire sentir combien son action était digne de châtiment, on espéra, par la vue de la mort qui l'attendait, lui inspirer par la terreur le sentiment du repentir, et on le conduisit au gibet. D'un côté se tenait un prêtre qui, avec l'éclat des trompettes du Jugement dernier, lui décrivait toutes les horreurs de l'enfer, dans lequel son âme était sur le point d'être précipitée ; de l'autre côté se tenait un autre prêtre, le corps du Seigneur, saint gage expiatoire, en main, et qui lui vantait les demeures de l'éternelle paix. « Veux-tu participer aux bienfaits de la Rédemption ? » lui demandèrent-ils tous les deux. « Veux-tu recevoir la communion ? » — « Non ! » répondit Piachi. — « Pourquoi pas ? » — « Je ne veux pas être sauvé ; je veux descendre dans les bas-fonds de l'enfer. Je veux retrouver Nicolo, qui ne sera pas au ciel, et poursuivre une vengeance que je n'ai pu assouvir qu'imparfaitement ici-bas ! » Et là-dessus, il monta à l'échelle et invita le bourreau à remplir son office. Bref, on se vit obligé de différer l'exécution et de reconduire dans sa prison le malheureux que la loi protégeait. Trois fois de suite on fit la même tentative, et toujours avec le même résultat. Le troisième jour, lorsqu'il dut encore descendre l'échelle sans avoir été attaché au gibet, il leva les mains au ciel d'un geste féroce, maudissant la loi inhumaine qui l'empêchait de descendre en enfer. Il supplia toute la phalange des diables de venir le quérir, jura ses grands dieux que son seul désir était d'être exécuté et damné et affirma qu'il étranglerait bien encore le premier prêtre venu pour remettre en enfer la main sur Nicolo !

Lorsqu'on rapporta cela au pape, il ordonna de l'exécuter sans absolution ; aucun prêtre ne l'accompagna ; on le pendit sans bruit sur la place del Popolo.

Traduction par M.-L. LAUREAU.

# SAINTE CÉCILE
# OU
# LA PUISSANCE DE LA MUSIQUE

*(Die Heilige Cäcilie oder die Gewalt der Musik)*

La nouvelle est un cadeau de baptême offert à Cäcilie Müller, fille d'Adam Müller, née le 27 octobre et baptisée le 16 novembre 1810. Un autre de ses parrains était Achim von Arnim, une de ses marraines, Henriette Vogel.

Une première version, plus succincte, a paru dans les *Berliner Abendblätter* du 15 au 17 novembre 1810. La version définitive a été publiée dans le deuxième volume des *Récits* (*Erzählungen*, 1811).

Une source probable est le récit de Matthias Claudius (« Besuch im St. Hiob zu** », *Werke*, t. 4, 1784) sur quatre frères déments qui, enfermés dans une chambre de l'hôpital de Hambourg, ne sortent de leur mutisme que pour chanter un verset lorsqu'ils entendent la cloche annoncer une mort. A notre avis, le souvenir de l'excursion à Madonna del Monte, racontée dans la lettre du 29 juillet 1804 à Henriette von Schlieben, est présent aussi à l'arrière-plan du récit (cf. notre introduction, p. 33).

A.F.

# SAINTE CÉCILE
# OU
# LA PUISSANCE DE LA MUSIQUE

*Légende*

Vers la fin du XVIe siècle, à l'époque où sévissait dans les Pays-Bas la rage de saccager les images sacrées, trois frères, jeunes étudiants de Wittenberg, retrouvèrent dans la ville d'Aix-la-Chapelle un quatrième frère qui exerçait à Anvers les fonctions de pasteur. Ils voulaient recueillir à Aix-la-Chapelle un héritage qui leur était échu d'un vieil oncle à eux tous inconnu et, comme il n'y avait personne dans la ville chez qui ils auraient pu frapper, ils descendirent dans une auberge. Après que plusieurs jours se furent écoulés à écouter les récits du pasteur sur les étranges incidents qui s'étaient déroulés dans les Pays-Bas, il se trouva que les nonnes du couvent Sainte-Cécile, situé à cette époque aux portes de la ville, s'apprêtaient à célébrer solennellement le jour de la Fête-Dieu ; de sorte que les quatre frères, échauffés par le fanatisme, la jeunesse et l'exemple des Néerlandais, décidèrent de donner aussi à la ville d'Aix-la-Chapelle le spectacle d'un massacre d'images sacrées. Le pasteur qui avait déjà plus d'une fois dirigé des entreprises de cette sorte rassembla la veille un certain nombre de jeunes fils de marchands et d'étudiants acquis à la nouvelle doctrine et qui passèrent la nuit dans l'auberge, à boire et à manger, en maudissant la Papauté ; et lorsque le jour eut pointé sur les créneaux de la ville, ils se munirent de haches et de toutes sortes d'instruments de démolition pour se mettre à leur extravagante besogne. Avec une joie bruyante, ils convinrent d'un signal auquel ils devraient commencer par briser les vitraux sur lesquels étaient peintes des scènes bibliques ; et sûrs de trouver dans le peuple un grand nombre de partisans, ils prirent, à l'heure où les cloches sonnaient, le chemin de l'église, décidés à ne pas laisser pierre sur pierre. L'abbesse qui, dès la pointe du jour, avait été avertie par un ami du danger qui planait sur le couvent, envoya en vain, à plusieurs reprises, un émissaire chez l'officier impérial, gouverneur de la ville, pour le prier de lui accorder une garde chargée de protéger le couvent ; l'officier, lui-même ennemi de la Papauté, et qui, en tant que tel, était dévoué à la nouvelle doctrine, s'arrangea, sous le judicieux prétexte que l'abbesse avait des visions, et qu'il n'y avait même pas l'ombre d'un danger pour son couvent, pour lui refuser la garde. Sur ces entrefaites, l'heure de célébrer la cérémonie arrivait, et les religieuses se disposaient, dans l'angoisse, les prières et une pénible appréhension des événements imminents, à entendre la messe. Personne pour les défendre qu'un vieux bailli de couvent septuagénaire qui se posta avec quelques valets armés à l'entrée de l'église. Dans les couvents de nonnes, les religieuses, exercées à jouer des instruments de toutes sortes, interprètent elles-mêmes, on le sait, les œuvres musicales ; souvent avec une précision, une intelligence et une sensibilité dont on déplore l'absence dans les orchestres d'hommes (sans doute à cause du caractère spécifiquement féminin de cet art mystérieux). Or il se trouva, pour porter à son comble l'angoisse générale, que sœur Antonie, maîtresse de chapelle qui dirigeait d'ordinaire la musique d'ensemble, était tombée gravement malade, quelques jours auparavant, atteinte de fièvre typhoïde ; de sorte que, indépendamment des quatre frères impies que l'on voyait déjà, drapés dans leurs manteaux, sous la colonnade de l'église, le couvent se trouvait aussi dans le plus vif embarras pour interpréter convenablement une œuvre musicale. Au soir du jour précédent, l'abbesse avait ordonné que l'on se préparât à interpréter une messe italienne fort ancienne, attribuée à un maître inconnu, messe d'inspiration particulièrement religieuse et sublime, et par laquelle la chapelle avait déjà plusieurs fois obtenu les effets les plus grandioses ; persistant plus que jamais dans sa résolution, l'abbesse envoya encore voir comment se trouvait sœur Antonie ; mais la religieuse chargée de la commission revint en disant que la sœur était étendue dans un état de complète inconscience et qu'on ne pouvait nullement songer à lui faire diriger l'œuvre musicale projetée. Pendant ce temps, plus de cent scélérats de toutes conditions et de tous âges, pourvus de haches et de leviers, s'étaient peu à peu rassemblés dans l'église où avaient déjà eu lieu les incidents les plus inquiétants ; on avait raillé de la façon la plus déplacée quelques valets postés aux portails et on s'était permis les discours les plus insolents et les plus éhontés sur les nonnes que, de temps à autre, l'on apercevait une à une dans les tribunes, absorbées par de pieuses occupations ; de sorte que le bailli du couvent se rendit à la sacristie et conjura à deux genoux l'abbesse de suspendre la fête et d'aller en ville se mettre sous la protection du gouverneur. Mais l'abbesse ne se laissa pas ébranler, prétendant qu'il fallait que la fête organisée en l'honneur du Très-Haut fût célébrée ; elle rappela au bailli du couvent qu'il avait le devoir, même au prix de sa vie, de protéger la messe et la procession solennelle qui se déroulerait dans l'église ; et comme la cloche se mettait en branle, elle ordonna aux nonnes qui l'entouraient, tremblantes et angoissées, de prendre un oratorio — peu importait lequel et de quelle valeur il fût — et d'ouvrir la cérémonie par l'exécution de cet oratorio.

Dans la tribune d'orgue, les nonnes se disposaient à obéir ; la partition d'une œuvre musicale que l'on avait déjà souvent donnée fut distribuée, violons et hautbois vérifiés et accordés, lorsque, soudain, sœur Antonie, fraîche et dispose, le visage un peu pâle, apparut, venant de l'escalier ; elle portait sous le bras la partition de la messe italienne ancienne, pour l'exécution de laquelle l'abbesse avait si instamment insisté. Comme les nonnes, étonnées, lui demandaient d'où elle venait et comment elle s'était si subitement remise, elle répondit : « Peu importe, mes amies, peu importe ! » Elle distribua elle-même la partition qu'elle avait apportée et, rayonnant d'enthousiasme, s'assit elle-même à l'orgue pour assumer la direction de l'œuvre superbe. Alors, un calme merveilleux et céleste s'empara des âmes des pieuses femmes ; sur l'heure, elles s'installèrent à leurs pupitres avec leurs instruments ; l'angoisse même dans laquelle elles étaient contribuait à porter leurs âmes, comme sur des ailes, à travers toutes les sphères de l'harmonie ; l'oratorio fut exécuté avec la plus grande et la plus sublime magnificence musicale ; pendant toute l'interprétation, on ne perçut pas un souffle sous les voûtes et dans les bancs ; surtout un moment du *Salve Regina* et plus encore au *Gloria in excelsis,* ce fut comme si tout le peuple réuni dans l'église était mort, de sorte qu'en dépit des quatre frères maudits et de leurs acolytes, on respecta jusqu'à la poussière du sol et que le couvent demeura jusqu'à la fin de la guerre de Trente Ans, époque à laquelle, en vertu d'un article du traité de Westphalie, il fut cependant sécularisé.

Six ans plus tard, alors que l'on avait depuis longtemps oublié ces incidents, la mère de ces quatre jeunes gens arriva de La Haye et, sous le prétexte affligeant que l'on avait entièrement perdu leur trace, elle demanda au magistrat d'Aix-la-Chapelle que l'on ouvrît une enquête judiciaire au sujet du chemin qu'ils avaient bien pu prendre au départ de cette ville. Les dernières nouvelles que l'on avait eues d'eux dans les Pays-Bas, d'où ils étaient d'ailleurs originaires, étaient, aux dires de la mère, une lettre du pasteur à son ami, instituteur à Anvers, lettre antérieure à l'époque dont elle parlait, écrite la veille d'une solennité de Fête-Dieu, et dans laquelle, en quatre pages serrées, il narrait à son correspondant, avec beaucoup de gaieté ou plutôt d'exubérance, le simple projet d'une expédition dirigée contre le couvent Sainte-Cécile, projet sur lequel, cependant, la mère ne voulut pas donner plus amples détails. Après bien des tentatives inutiles pour retrouver les personnes que cherchait cette femme affligée, on se rappela enfin que, depuis un nombre d'années qui correspondait à peu près à ses dires, quatre jeunes gens, dont la patrie et l'origine étaient inconnues, se trouvaient dans l'asile d'aliénés de la ville, fondé depuis peu par les soins de l'empereur. Mais comme ils étaient en proie à l'exaltation d'une idée religieuse et que, à ce que le tribunal croyait vaguement avoir entendu dire, leur manière d'être était extrêmement triste et mélancolique, la mère pensa que tout cela ne concordait guère avec l'humeur hélas ! trop connue de ses fils, et elle s'arrêta d'autant moins à ces indications que l'on crut savoir que ces jeunes gens étaient catholiques. Cependant, étrangement frappée par certains signes distinctifs dont on les lui décrivait, elle se rendit un jour, accompagnée d'un huissier, à l'asile d'aliénés et pria les directeurs d'être assez complaisants pour lui permettre, à dessein d'examen, une entrevue avec les quatre malheureux hommes à l'esprit égaré que l'on gardait ici. Mais qui décrira l'effroi de la pauvre femme lorsque, en franchissant la porte, elle reconnut, dès le premier regard, ses fils : enveloppés de longues soutanes noires, ils étaient assis autour d'une table sur laquelle était dressé un crucifix qu'ils semblaient adorer en silence, accoudés, les mains jointes sur la table. Ses forces se dérobant, la pauvre femme s'était laissé glisser sur une chaise ; elle demanda ce qu'ils faisaient là ; les directeurs lui répondirent qu'ils étaient simplement occupés à glorifier le Sauveur dont ils croyaient, prétendaient-ils, mieux que d'autres comprendre qu'il était le vrai Fils du Dieu unique. Ils ajoutèrent qu'il y avait déjà six ans que les jeunes gens menaient cette existence fantomatique ; ils dormaient peu, s'alimentaient peu, aucun son ne sortait de leurs lèvres ; mais par contre, à l'heure de minuit, ils se levaient soudain de leurs sièges, et alors, d'une voix qui faisait sauter les vitres de la maison, ils entonnaient le *Gloria in excelsis*. Les directeurs l'assurèrent enfin que les jeunes gens étaient parfaitement sains de corps, qu'on ne pouvait même pas leur dénier une certaine sérénité, à vrai dire une sérénité très grave et solennelle ; lorsqu'on disait qu'ils étaient fous, ils haussaient les épaules d'un air de pitié, et ils avaient déjà plus d'une fois déclaré que si les bons bourgeois d'Aix-la-Chapelle savaient ce que eux-mêmes savaient, tous délaisseraient leurs affaires et prendraient place autour du crucifix du Seigneur, pour chanter le *Gloria*.

La femme, qui ne pouvait supporter le spectacle hallucinant de ces malheureux, n'avait pas tardé à se faire reconduire, les jambes chancelantes, chez elle. Dans le but d'obtenir quelque éclaircissement sur les circonstances qui étaient à l'origine de cette affreuse situation, elle se rendit au matin du jour suivant chez M. Guy Gotthelf, célèbre marchand de drap de la ville ; car la lettre écrite par le pasteur mentionnait cet homme, et il en ressortait que ce dernier avait activement participé au projet de détruire le couvent de Sainte-Cécile au jour de la Fête-Dieu. Guy Gotthelf, le marchand de drap, qui entre-temps s'était marié, avait engendré plusieurs enfants et pris en main l'important commerce de son père, reçut l'étrangère fort aimablement, et lorsqu'il apprit la requête qu'elle lui présentait, il verrouilla la porte, força la femme à s'asseoir sur une chaise et fit la déclaration suivante : « Chère madame ! J'ai été, il y a six ans, en étroites relations avec vos fils, et si vous ne voulez pas à ce sujet m'impliquer dans une enquête, je vous l'avouerai ouvertement et sans réticence : nous avons bien eu l'intention que mentionne la lettre ! Comment cette entreprise, pour l'exécution de laquelle tout avait été prévu avec une sagacité réellement diabolique, comment a-t-elle échoué ? cela m'est incompréhensible ; le ciel lui-même semble avoir pris le couvent des pieuses femmes en sa sainte protection. Sachez, en effet, que, pour préluder à des démonstrations plus catégoriques, vos fils s'étaient déjà permis plusieurs espiègleries pour troubler l'office divin : pourvus de haches et de cercles goudronnés, plus de trois cents vauriens, pris dans l'enceinte de notre ville alors abusée par l'erreur, n'attendaient plus que le signe que devait donner le pasteur pour raser l'église. Or, dès les premières notes de musique, vos fils enlèvent soudain leurs chapeaux d'un même geste, d'une manière qui nous surprend tous ; puis on les voit, en proie à une indicible et profonde émotion, incliner et cacher leurs visages dans leurs mains, et le pasteur, se retournant soudain, après un silence poignant, nous crie à tous tout haut, d'une voix terrible, de nous découvrir comme eux ! C'est en vain que quelques camarades, sans penser plus loin, le poussent du bras et le somment en chuchotant de donner le signal convenu pour le saccage des statues : au lieu de répondre, le pasteur tombe à genoux, les mains croisées sur la poitrine, et lui et ses frères, le front dans la poussière, murmurent avec ferveur toute la série de prières qu'ils raillaient encore quelques instants auparavant. Troublé par ce spectacle jusqu'au plus profond de l'être, le troupeau des lamentables farceurs, privé de ses chefs, reste là, indécis, sans bouger, jusqu'à la fin de l'admirable oratorio qui tombe de la tribune en vagues sonores ; et comme, à cet instant, on procède, sur l'ordre du gouverneur, à plusieurs arrestations et que la garde se saisit de plusieurs coupables, fauteurs de troubles, et les éconduit, il ne reste plus à la misérable bande qu'à sortir au plus vite du temple, protégée par la foule qui s'écoule. Le soir, à l'auberge, j'avais en vain demandé à plusieurs reprises ce qu'étaient devenu vos fils qui n'étaient pas revenus ; en proie à la plus terrible inquiétude, je retourne au couvent, en compagnie de quelques amis, pour enquêter à leur sujet auprès des valets postés aux portails et qui avaient prêté main-forte à la garde impériale. Mais comment vous décrire mon effroi, noble dame, lorsque je vois ces quatre hommes, à cette heure encore, comme pendant l'office, fronts et poitrines contre terre, mains croisées, comme pétrifiés, étendus, brûlant de ferveur, devant l'autel de l'église. C'est en vain que le bailli du couvent, qui entre justement à ce moment-là, les tire par le manteau, leur secoue le bras, les invite à quitter l'église devenue déjà toute sombre et dans laquelle il n'y a plus personne : ils se relèvent à demi, l'air absent, et ne l'entendent pas ; enfin, le bailli ordonne à ses valets de les prendre par le bras, de les faire sortir et les conduire jusque sous le portail, et ils finissent par nous suivre vers la ville, non sans soupirer, sans se retourner souvent et jeter des regards à vous déchirer le cœur vers cette cathédrale qui, derrière nous, étincelle, splendide, dans les feux du soleil. Sur le chemin du retour, les amis et moi leur demandons à plusieurs reprises affectueusement et aimablement ce qui, pour l'amour du ciel, leur était arrivé d'effrayant, capable de retourner de la sorte leurs sentiments les plus intimes ; ils nous pressent les mains, en nous regardant amicalement, baissent pensivement les yeux à terre et, de temps en temps, essuient, hélas ! leurs larmes avec une expression qui me fend encore maintenant le cœur. Puis, une fois rentrés chez eux, ils se confectionnent ingénieusement, avec des brindilles de bouleau, une croix élégante, la fichent dans un petit cône de cire, la placent, au milieu de la pièce, sur la grande table, encadrée de deux chandelles avec lesquelles entre la servante ; les amis, dont la bande grossit d'heure en heure, se tiennent à l'écart, se tordant les mains ; par groupes dispersés, muets de désespoir, ils les regardent aller et venir en silence, comme des fantômes ; alors, les quatre frères s'asseyent autour de la table, absolument comme si leurs sens étaient fermés à toute autre perception, s'abandonnent, les mains jointes, à la contemplation. Ils ne réclament pas le repas que la servante apporte pour héberger leurs camarades, selon l'ordre qu'ils en avaient donné le matin ; et plus tard, alors que la nuit tombe, ils ne réclament pas davantage la couche que, les voyant fatigués, elle leur a préparée dans la pièce voisine ; pour ne pas attiser la colère de l'aubergiste décontenancé par leur conduite, il leur faut s'asseoir à une table abondamment garnie, dressée à l'écart, et consommer, corsés par le sel de leurs larmes amères, les mets préparés pour une nombreuse société. Mais voici que sonne soudain minuit ; après avoir un instant tendu l'oreille pour écouter le son sourd de la cloche, vos quatre fils se lèvent soudain de leurs sièges, d'un mouvement simultané ; et tandis que, posant nos serviettes, nous les regardons, nous demandant avec angoisse à quoi préludent des manières aussi étranges et inquiétantes, ils se mettent à entonner le *Gloria in excelsis*, d'une voix horrifiante et atroce. C'est ainsi que se font sans doute entendre les léopards et les loups, lorsque, dans les périodes glaciales de l'hiver, ils hurlent à la lune ; les piliers de la maison, je vous assure, tremblèrent, et les vitres, frappées par le souffle visible de leurs poumons, sonnèrent et menacèrent de voler en éclats, comme si on avait lancé à pleines mains, contre leurs surfaces, du sable lourd. A ce spectacle terrifiant, nous bondissons affolés, les cheveux dressés sur la tête ; abandonnant manteaux et chapeaux, nous nous dispersons à travers les rues avoisinantes qui, en peu de temps, s'étaient remplies, en nos lieu et place, de plus de cent personnes réveillées en sursaut ; la foule force la porte d'entrée, monte l'escalier, se presse vers la salle pour chercher l'origine de ce rugissement effrayant et bouleversant qui semblait échappé des lèvres de pécheurs éternellement damnés et vouloir monter du tréfonds de la fournaise infernale jusqu'aux oreilles de Dieu pour implorer miséricorde. Enfin, quand la cloche sonne un coup, sans avoir entendu la colère de l'aubergiste ni l'émotion et les exclamations de la foule qui les entoure, ils ferment la bouche ; avec un linge, ils épongent de leur front la sueur qui, en grosses gouttes ruisselantes, leur tombe sur le menton et la poitrine ; puis, ils étendent leurs manteaux et, pour se remettre d'une heure d'occupations si torturantes, ils s'étendent sur le plancher. L'aubergiste, qui les laisse faire, esquisse sur eux, dès qu'il les voit sommeiller, un signe de croix ; et, heureux d'être pour l'instant débarrassé de cette calamité, il affirme que l'aube apportera un changement salutaire et décide les quelques hommes ici rassemblés, qui tiennent à voix basse un mystérieux conciliabule, à quitter la pièce. Mais, hélas ! dès le premier cri du coq, les malheureux se relèvent pour reprendre en face de la croix qui se trouve sur la table la même vie claustrale, fantomatique et désolante que l'épuisement seul les avait contraints d'interrompre un instant. Ils n'acceptent aucun avertissement, aucun secours de l'aubergiste, dont le cœur se brise à les voir si pitoyables ; ils le prient seulement d'éconduire aimablement les amis qui ont d'ordinaire coutume de se réunir régulièrement chez eux au début de chaque jour ; ils ne lui demandent rien que de l'eau, du pain et une paillasse, s'il est possible, pour la nuit ; de sorte que cet homme à qui, sans cela, leur humeur joviale avait rapporté beaucoup d'argent, se vit contraint de porter toute l'affaire devant les tribunaux et de prier ceux-ci de débarrasser sa maison de ces quatre individus qui devaient sans doute être la proie de l'esprit malin. Là-dessus, ils furent, sur l'ordre du magistrat, examinés par des médecins, et, comme on reconnut qu'ils étaient fous, on les emmena, comme vous le savez, dans les locaux d'une maison d'aliénés que l'empereur récemment décédé a eu la bonté de faire édifier dans l'enceinte de la ville, pour le bien des malheureux de cette sorte. » Ainsi parla Guy Gotthelf ; il dit encore bien d'autres choses que nous ne rapporterons pas ici, parce que nous pensons en avoir dit assez pour l'intelligence du fond de l'affaire ; et il enjoignit encore à la femme, au cas où on en viendrait à une enquête rétrospective sur ces incidents, de ne l'y impliquer en aucune façon.

Émue par ce récit jusqu'au plus profond d'elle-même, la femme s'en était allée, trois jours plus tard, au bras d'une amie, jusqu'au couvent, dans la mélancolique intention de considérer, à l'occasion d'une promenade, — le temps étant justement beau, — ce lieu terrifiant où Dieu avait comme invisiblement foudroyé et confondu ses fils. Comme on était en train de bâtir, les femmes trouvèrent l'entrée de la cathédrale fermée par des palissades, et, en se dressant à grand-peine, elles ne pouvaient, à travers les fentes des planches, apercevoir, de l'intérieur, que la rosace splendide et étincelante, à l'arrière-plan de l'église. Plusieurs centaines d'ouvriers qui chantaient gaiement étaient occupés, sur de légers échafaudages aux multiples enchevêtrements, à rehausser d'un bon tiers les tours et à en couvrir les toits et les créneaux, qui n'avaient été jusqu'ici recouverts que d'ardoise, d'un cuivre épais et clair qui brillait dans les rayons du soleil. Le monument se détachait justement sur un fond de nuages d'orage noirs foncés, aux bords dorés ; cet orage avait déjà éclaté au-dessus de la région d'Aix-la-Chapelle et, après avoir encore lancé quelques éclairs en direction de la cathédrale, il s'enfonça, dissous en vapeur, vers l'est, avec quelques grondements maussades. Il se trouva que, tandis que, du haut de l'escalier de la spacieuse demeure monacale, les femmes, abîmées dans toutes sortes de pensées, contemplaient ce double spectacle, une sœur du couvent qui passait apprit, par hasard, qui était la femme debout sous le portail : de sorte que l'abbesse, ayant entendu parler d'une lettre concernant la procession de la Fête-Dieu que la femme avait en sa possession, envoya sur-le-champ la sœur la trouver et fit prier la Hollandaise de monter jusqu'à elle. La Hollandaise, un instant décontenancée par cette démarche, se mit pourtant respectueusement en devoir d'obéir à l'ordre qu'on lui avait exprimé ; et tandis que l'amie était invitée par la religieuse à se retirer dans une pièce latérale, tout près de l'entrée, l'étrangère dut monter l'escalier, et on ouvrit les portes à deux battants de cette tribune même, aux lignes harmonieuses. C'est là qu'elle trouva l'abbesse, une noble femme de port royal ; elle était assise dans un fauteuil, le pied appuyé sur un tabouret qui reposait sur des pieds de dragon ; à côté d'elle, sur un pupitre, se trouvait une partition de musique. Après avoir ordonné à l'étrangère d'approcher une chaise, elle lui révéla qu'elle avait déjà appris par le maire son arrivée dans la ville ; elle s'enquit avec amabilité de la santé de ses malheureux fils et l'exhorta à la plus grande résignation dont elle était capable au sujet du destin qui les avait frappés, puisqu'on ne pouvait le modifier ; puis elle lui exprima le désir de voir la lettre que le pasteur avait écrite à son ami, le maître d'école d'Anvers. La femme, qui avait assez d'expérience de la vie pour prévoir les suites que ce geste pourrait avoir, se sentit un instant plongée dans l'embarras ; cependant, comme le noble visage de cette dame inspirait une confiance sans réserve et qu'il ne convenait nullement de croire qu'elle pourrait avoir l'intention de faire officiellement usage du contenu de cette lettre, elle sortit, après une brève hésitation, la lettre de son corsage et la remit à la noble dame dont elle baisa la main avec ferveur. Tandis que l'abbesse parcourait la lettre, la femme jeta alors un coup d'œil sur la partition négligemment ouverte sur le pupitre ; et comme, à la suite du récit du marchand de drap, elle en était venue à penser que ce qui, en ce terrible jour, avait troublé et égaré l'esprit de ses pauvres fils pourrait bien être la puissance de la musique, elle demanda timidement, en se retournant vers la sœur debout derrière sa chaise, si c'était là l'œuvre musicale qui avait été exécutée dans la cathédrale, six ans auparavant, au matin de ce jour extraordinaire de la Fête-Dieu. La jeune sœur répondit qu'en effet elle se rappelait avoir entendu parler de cette œuvre qui, depuis lors, restait, quand on n'en avait pas besoin, dans la chambre de la Très Révérende Mère ; à ces mots, la femme se leva, vivement émue, et, agitée de mille pensées, s'approcha du pupitre. Elle considéra ces signes magiques inconnus, dans lesquels un esprit redoutable semblait s'être mystérieusement circonscrit, et pensa s'abîmer sous terre lorsqu'elle trouva l'œuvre ouverte justement à la page du *Gloria in excelsis*. Il lui sembla qu'au-dessus de sa tête déferlait en vagues sonores toute cette musique terrifiante dont la puissance avait anéanti ses fils ; à la simple vision de cette page, elle pensa perdre l'esprit, et après qu'en un geste rapide d'humilité et de soumission infinie à la toute-puissance de Dieu elle eut pressé ses lèvres sur la feuille, elle se rassit sur sa chaise. Pendant ce temps, l'abbesse avait terminé la lecture de la lettre et dit en la repliant : « Dieu lui-même, en ce jour merveilleux, a protégé le couvent contre les graves errements et l'audace de vos fils. De quels moyens s'est-il servi pour cela, voilà sans doute qui vous importerait peu, à vous qui êtes protestante : vous comprendriez d'ailleurs difficilement ce que je pourrais vous dire là-dessus. Car, sachez-le bien : malgré tout, personne ne sait qui, dans l'angoisse de cette heure terrifiante où le massacre d'images sacrées devait fondre sur nous, s'est tranquillement assise à l'orgue et a dirigé l'œuvre que vous trouvez là ouverte. Un document rédigé le lendemain matin, en présence du bailli du couvent et de plusieurs autres hommes, et qui fut déposé dans les archives, témoigne que sœur Antonie, la seule capable de diriger l'œuvre, était malade pendant tout le temps de l'exécution, dans le coma, privée de l'usage de ses membres, et qu'elle était couchée dans un coin de sa cellule ; une sœur qui, en tant que sa parente, devait rester près d'elle pour lui dispenser les soins du corps, ne s'est pas éloignée de son lit, au cours de cette matinée où fut célébrée, en la cathédrale, la solennité de la Fête-Dieu. Sœur Antonie elle-même n'aurait certes pas manqué de confirmer et certifier ce fait qu'elle n'était pas celle qui apparut d'une façon si déconcertante et étrange à la tribune d'orgue, si, du fait qu'elle avait totalement perdu conscience, on n'avait été dans l'impossibilité de le lui demander, et si, au soir de ce même jour, la malade n'avait pas succombé à la fièvre typhoïde qui la tenait alitée et qui, auparavant, ne semblait pas mettre sa vie en danger. L'archevêque de Trèves lui-même, à qui fut rapportée cette entrevue, a déjà prononcé le mot qui seul l'explique : sainte Cécile en personne aurait accompli ce miracle à la fois terrifiant et sublime, et je viens de recevoir du pape un bref qui le confirme. » Et là-dessus, elle rendit à la femme la lettre qu'elle lui avait demandée simplement pour avoir, sur ce qu'elle savait déjà, de plus amples détails, après lui avoir promis qu'elle n'en ferait pas usage ; elle lui demanda encore s'il n'y avait pas espoir que ses fils se rétablissent et si l'on ne pouvait à cet effet l'aider en quelque manière, par de l'argent ou quelque autre assistance, ce que, au milieu de ses larmes, la femme dénia, en baisant sa robe ; alors l'abbesse la salua aimablement de la main et la congédia.

Ainsi se termine cette légende. La femme, dont la présence à Aix-la-Chapelle était tout à fait inutile, revint à La Haye après avoir laissé un petit capital qu'elle remit aux tribunaux pour le bien de ses pauvres fils ; un an plus tard, profondément émue par cette aventure, elle retourna dans le sein de l'Église catholique ; quant à ses fils, ils moururent, dans un âge avancé, d'une mort sereine et heureuse, après avoir une dernière fois, selon leur habitude, chanté le *Gloria in excelsis*.

Traduction de M.-L. LAUREAU.

# LE DUEL

*(Der Zweikampf)*

La nouvelle est écrite en 1811, pour compléter le deuxième volume des *Récits* (*Erzählungen*, 1811).

Kleist s'inspire de l'histoire du combat entre Jacquet le Gris et Jehan de Carouge, racontée par Froissart dans ses *Chroniques de France*. Pendant longtemps, on considérait un récit intitulé « Hildegarde von Carouge und Jacob der Graue », paru le 24 octobre 1810 dans les *Gemeinnützige Unterhaltungsblätter* de Hambourg et signé C. Baechler, comme la source du *Duel* ainsi que d'une anecdote intitulée *Geschichte eines merkwürdigen Zweikampfs* (*Histoire d'un duel remarquable*) que Kleist publia dans les *Berliner Abendblätter* du 20 et du 21 février 1811. Mais, comme Helmut Sembdner l'a établi récemment (*Jahrbuch der Deutschen Schillergesellschaft*, 1981, p. 47-59), c'est Kleist lui-même qui a écrit la version signée C. Baechler.

A.F.

# LE DUEL

Vers la fin du XIVe siècle, le duc Wilhelm von Breisach, qui s'était uni secrètement à une comtesse, Katharina von Heersbruck, de la maison de Alt-Hüningen, d'un rang paraissant inférieur au sien et qui, depuis lors, vivait sur le pied d'hostilité avec son demi-frère, le comte Jacob Barberousse, revenait, à la tombée de la nuit de Saint-Remi, d'une entrevue qu'il avait eue à Worms avec l'empereur d'Allemagne. Ayant perdu ses enfants légitimes, il avait obtenu du souverain la légitimation du fils naturel qu'il avait eu de sa femme avant le mariage, le comte Philipp von Hüningen. Plus joyeux devant les perspectives de l'avenir qu'il ne l'avait été au cours de tout son règne, il avait atteint déjà le parc qui se trouvait derrière son château, lorsque, tout à coup, une flèche, décochée de l'obscurité des buissons, l'atteignit juste sous le thorax et lui perça le corps. Le seigneur Friedrich von Trota, son chambellan, bouleversé par cet événement, le porta au château, avec l'aide de quelques autres chevaliers. Là, dans les bras de sa femme consternée, devant une assemblée de vassaux d'empire qu'elle avait pris l'initiative de convoquer en toute hâte, il eut encore la force de donner lecture de l'acte de légitimation impériale. Non sans de vives résistances, puisque, selon la loi, la couronne revenait à son demi-frère, le comte Jacob Barberousse, les vassaux se rendirent à sa suprême et expresse volonté et, sous la réserve d'obtenir l'approbation de l'empereur, ils reconnurent le comte Philipp pour héritier du trône et, comme il était mineur, sa mère pour tutrice et régente. Alors le duc se coucha et mourut.

La duchesse monta donc sur le trône sans plus de formalités et se borna à en faire donner signification à son beau-frère, le comte Barberousse, par l'intermédiaire de quelques envoyés ; et ce qu'avait prédit plus d'un chevalier de la cour qui prétendait voir clair dans le caractère renfermé du comte, se réalisa, au moins dans les apparences. Jacob Barberousse, tenant sagement compte des circonstances du moment, prit son parti de l'injustice que son frère avait commise à son égard ; il s'abstint pour le moins de toute espèce de démarche tendant à faire annuler les dernières volontés du duc et cordialement il souhaita bonne chance à son jeune neveu pour le trône qui lui était échu. Aux envoyés qu'il invita à sa table avec beaucoup d'enjouement et d'aménité, il fit la peinture de son existence libre et indépendante en son château, depuis la mort de sa femme qui lui avait laissé une fortune royale ; il leur dit combien il aimait les femmes des gentilshommes du voisinage, le vin de ses vignes et la chasse, en compagnie de joyeux amis, combien aussi il comptait sur un croisade en Palestine pour expier les péchés d'une jeunesse vite passée, mais qui grandissaient fâcheusement pour lui — il en faisait l'aveu — avec les années : c'était là la seule entreprise qu'il envisageât, dès que viendrait le terme de sa vie. En vain ses deux fils, qui avaient été élevés dans l'espérance la plus formelle de succéder au trône, lui firent les plus amers reproches pour l'insensibilité et l'indifférence avec lesquelles il avait accepté contre toute attente cette atteinte irréparable portée à leurs prétentions. Il les rappela sèchement à l'ordre — ils étaient encore imberbes — en termes autoritaires et sarcastiques ; il obligea à le suivre à la ville le jour des funérailles nnelles et d'assister à ses côtés à l'enterrement du vieux duc, leur oncle, comme c'était leur devoir. Puis, quand il eut, dans la salle du trône du palais ducal, rendu foi et hommage, avec tous les autres grands de la cour, au jeune prince, son neveu, en présence de la mère, la régente, il retourna à son château, après avoir refusé toutes les charges et dignités que la duchesse lui offrait, sous les bénédictions d'un peuple qui l'honorait doublement, à cause de sa magnanimité et de sa modération.

Cette question d'intérêt primordial une fois réglée de cette façon heureuse et inespérée, la duchesse se consacra au deuxième article de sa tâche de régence : procéder à une enquête sur les meurtriers de son époux dont on prétendait avoir aperçu toute une bande dans le parc. Aussi examina-t-elle elle-même, avec le seigneur Godwin von Herrthal, son chancelier, la flèche qui avait causé la mort. Mais on n'y trouva rien qui eût pu en trahir le possesseur, sauf peut-être qu'elle était d'un travail étonnamment fin et précieux. De fortes plumes, frisées et brillantes, étaient insérées dans une hampe longue et solide, tournée dans un bois de noyer foncé ; à sa base, la flèche était revêtue de laiton brillant, et seule l'extrême pointe, aiguë comme une arête de poisson, était en acier. La flèche paraissait avoir été fabriquée pour la salle d'armes d'un homme riche important, mêlé à des luttes ou grand amateur de chasse. Le millésime gravé sur le bouton faisait apparaître que sa fabrication ne pouvait être que récente ; aussi la duchesse, sur le conseil du chancelier, l'envoya-t-elle, munie du sceau de la couronne, dans tous les ateliers d'Allemagne, afin de découvrir le maître qui l'avait tournée et, si l'on y arrivait, de connaître le nom de celui qui en avait fait la commande.

Cinq mois plus tard, le chancelier Godwin, à qui la duchesse avait confié toute cette enquête, fut informé par un fabricant de flèches de Strasbourg qu'il en avait confectionné une soixantaine de ce type, avec le carquois assorti, trois ans auparavant, pour le comte

Jacob Barberousse. Extrêmement ému par cette déclaration, le chancelier la conserva dans son armoire secrète pendant des semaines. D'une part, en dépit de la vie affranchie et déréglée que menait le comte, il croyait connaître trop bien sa noblesse de caractère pour le considérer comme capable d'un acte aussi abominable que le meurtre d'un frère ; et, quant à la duchesse, il ne se sentait pas assez sûr de son esprit de justice, en dépit de toutes ses autres qualités, pour ne pas agir avec la plus grande circonspection dans cette affaire où la vie de son plus mortel ennemi était en jeu. Entre-temps, il procéda sous main à des enquêtes dans le sens de cette singulière information, et il vint à découvrir, par les agents de la prévôté de la ville, que le comte, qui, d'habitude, ne quittait point son château, sauf en de très rares occasions, en avait été absent pendant la nuit du meurtre. Dans ces conditions, il tint pour son devoir de rompre le secret et d'instruire en détail la duchesse, dans une des plus prochaines réunions du Conseil de l'État, de la suspicion stupéfiante et inouïe que ces deux chefs d'accusation faisaient tomber sur le comte Barberousse, son beau-frère.

La duchesse, qui s'estimait heureuse d'entretenir avec le comte des relations si amicales et qui craignait par-dessus tout de piquer sa susceptibilité en agissant à la légère, stupéfia le chancelier en ne manifestant pas la moindre joie devant cette communication équivoque. Bien plus, après avoir parcouru deux fois les documents avec attention, elle exprima en termes vifs son mécontentement de voir traiter publiquement, devant le Conseil de l'État, une affaire si peu certaine et si scabreuse. Elle était d'avis qu'il ne devait y avoir là-dedans qu'erreur ou calomnie, et elle donna l'ordre de ne faire aucun usage de cette dénonciation auprès des tribunaux et de s'en tenir là. Mieux encore, devant la popularité extraordinaire et presque enthousiaste dont jouissait le comte, selon la tournure naturelle des choses, depuis son exclusion du trône, ce simple exposé fait au Conseil lui apparaissait comme plein de dangers par lui-même. Elle prévoyait que les bavardages de la ville à ce sujet arriveraient aux oreilles du comte ; aussi, avec une lettre sincèrement généreuse, lui fit-elle parvenir les deux chefs d'accusation qu'elle appelait le jeu d'un étrange malentendu, en y joignant l'objet sur lequel ils étaient censés se fonder, et elle le priait expressément, persuadée qu'elle était d'avance de son innocence, de ne se mettre en peine d'aucune réfutation.

Le comte, qui était à table avec un groupe d'amis, au moment où le chevalier, porteur du message de la duchesse, vint le trouver, se leva courtoisement de son siège. Tandis que ses amis considéraient ce visiteur solennel qui refusait de prendre place, Barberousse avait à peine parcouru la lettre, sous l'arcade de la fenêtre, qu'il changea de couleur et, passant les papiers aux convives : « Camarades, leur dit-il, voyez quelle accusation infâme, à propos du meurtre de mon frère, a été forgée contre moi ! » Avec des éclairs dans les yeux, il prit la flèche que tenait le chevalier et, cachant la consternation de son âme, alors que ses amis troublés se rassemblaient autour de lui, il ajouta qu'en effet le trait était bien à lui, comme était vraie également cette circonstance que, dans la nuit de la Saint-Remi, il avait été absent de son château. Ce ne furent qu'imprécations de la part de ses amis contre cette astuce maligne et basse : ils rejetaient le soupçon du meurtre sur les ignobles accusateurs eux-mêmes, et déjà ils allaient manquer de respect à l'envoyé qui prenait la défense de la duchesse, sa souveraine, lorsque le comte, qui avait encore une fois parcouru les papiers, revint soudainement parmi eux et s'écria : « Du calme, mes amis !... » En même temps, il prit son épée qui était dans un coin et la remit au chevalier en lui disant qu'il était son prisonnier. Interdit, le chevalier lui demanda s'il avait bien entendu : reconnaissait-il effectivement les deux chefs d'accusation que le chancelier avait établis ? « Oui, oui, oui ! »

répondit le comte... Entre-temps, il espérait être exempté de l'obligation d'administrer la preuve de son innocence autre part qu'à la barre d'un tribunal régulièrement constitué par la duchesse. Les chevaliers, fort peu satisfaits de cette déclaration, lui remontrèrent en vain que, dans ce cas, il ne pouvait rien faire de moins que de rendre compte de toute la suite de l'affaire à l'empereur lui-même : le comte qui, dans un revirement d'esprit singulier par sa soudaineté, en appelait à la justice de la régente, s'entêta à se présenter devant le haut tribunal de la province. Il s'arracha de leurs bras, et déjà il appelait par la fenêtre pour commander ses chevaux, voulant, disait-il, suivre immédiatement l'envoyé à la Chevalerie, lorsque ses compagnons d'armes lui barrèrent énergiquement la route, en lui présentant un projet qu'il devait finir par accepter.

Ils rédigèrent tous ensemble une lettre à la duchesse : ils y réclamaient, comme un droit reconnu à tout chevalier en pareil cas, un sauf-conduit pour le comte et, pour garantir sa comparution devant le tribunal institué par elle et sa soumission à tout arrêt prononcé par ce tribunal, ils offraient une caution de vingt mille marks d'argent.

Devant cette communication qu'elle n'attendait ni ne comprenait, la duchesse, tenant compte des bruits abominables qui couraient dans le peuple depuis que la plainte était lancée, considéra comme le parti le plus sage de s'effacer complètement elle-même et de saisir l'empereur de toute l'affaire. Sur le conseil du chancelier, elle lui envoya le dossier relatif à l'événement en le priant au titre de chef suprême de l'empire, de se charger de l'instruction à sa place, dans une cause où elle se trouvait mêlée elle-même comme partie. L'empereur, que des pourparlers avec la Confédération retenaient à Bâle juste à cette époque, déféra à ce désir. Il y constitua un tribunal composé de trois comtes, de douze chevaliers et de deux magistrats. Après avoir accordé au comte un sauf-conduit, selon la proposition de ses amis et moyennant la caution offerte de vingt mille marks d'argent, il l'invita à se présenter devant le susdit tribunal et à s'y expliquer sur ces deux points : comment la flèche qui, de son propre aveu, lui appartenait, était-elle venue entre les mains du meurtrier ? D'autre part, en quel endroit « différent » avait-il passé la nuit de la Saint-Remi ?

On était au lundi d'après la Trinité lorsque le comte Jacob Barberousse, avec une suite brillante de chevaliers, conformément à la citation qu'il avait reçue, parut dans l'enceinte du tribunal de Bâle. Après avoir passé sur la première question, en alléguant qu'elle était pour lui totalement insoluble, il s'exprima en ces termes au sujet de la seconde qui avait dans le débat une portée décisive : « Nobles seigneurs !... » Ses mains s'appuyaient sur la barre et il fixait l'assemblée de ses petits yeux brillants, ombragés de cils roux. « Vous m'accusez, fit-il, moi qui ai donné assez de preuves de mon indifférence à l'égard de la couronne et du sceptre, de l'action la plus abominable qui se puisse commettre, du meurtre d'un frère qui, à la vérité, n'avait pas grande inclination pour moi, mais qui ne m'en était pas moins cher, et, parmi les motifs sur lesquels se fonde votre accusation, vous invoquez que, dans la nuit de la Saint-Remi, où fut commis ce forfait, j'étais absent de mon château, contrairement à une habitude observée pendant de longues années. Or, je sais parfaitement ce qu'un chevalier doit à l'honneur des dames qui lui ont en secret réservé leurs faveurs. Et, sur ma foi, si le ciel n'avait pas précipité, de ses hauteurs sereines, cette étrange fatalité sur ma tête, le secret qui dort dans mon cœur serait mort avec moi, avec moi serait devenu poussière et ne se serait dressé avec moi devant Dieu qu'à l'appel de l'ange dont la trompette fait éclater les tombeaux. Mais la question que Sa Majesté l'empereur pose par votre bouche à ma conscience réduit à néant — et vous le comprenez bien vous-mêmes — toutes les considérations et tous les scrupules. Et puisque, enfin, vous voulez savoir pourquoi il n'est ni vraisemblable, ni même simplement possible que je sois pour quelque chose dans le meurtre de mon frère, soit par moi-même, soit par intermédiaire, apprenez que dans la nuit de la Saint-Remi, c'est-à-dire au moment où le meurtre fut commis, j'étais en secret auprès d'une femme, belle et liée d'amour avec moi, la fille du sénéchal de la province Winfried von Breda, dame veuve Littegarde von Auerstein. »

Il faut savoir que dame veuve Littegarde était à la fois la plus belle femme de la province et, jusqu'à l'heure de cette outrageante accusation, la plus digne et la plus irréprochable. Depuis la mort de son époux, le gouverneur du palais von Auerstein, qu'une fièvre contagieuse lui avait enlevé peu de mois après leur mariage, elle vivait dans le silence et la retraite au château de son père. C'est seulement sur le désir du vieux seigneur, lequel souhaitait fort de la voir se remarier, qu'elle consentait à paraître de temps à autre aux fêtes de chasse et aux banquets organisés par les chevaliers des environs et notamment par le seigneur Jacob Barberousse. En de telles occasions, de nombreux comtes et seigneurs des maisons les plus nobles et les plus fortunées du pays qui aspiraient à l'épouser s'empressaient autour d'elle et, parmi eux, le plus cher et le préféré était le seigneur Friedrich von Trota, le chambellan, qui lui avait un jour sauvé vaillamment la vie à la chasse, alors qu'un sanglier blessé fonçait sur elle. Néanmoins, soucieuse de ne pas contrarier ses deux frères qui comptaient hériter de sa fortune, malgré toutes les exhortations de son père elle n'avait pas encore pu se résoudre à lui donner sa main. Elle fit plus : Rudolph, l'aîné des deux frères, marié à une riche demoiselle du voisinage, ayant eu enfin un héritier au bout de trois ans, à la grande joie de la famille, elle céda à des considérations où elle voyait plus ou moins clair et rompit formellement avec son ami, le seigneur Friedrich, par une lettre qu'elle lui écrivit en versant d'abondantes larmes. Pour conserver l'unité de la famille, elle consentit, sur la proposition de son frère, à entrer, au titre d'abbesse, dans un couvent de femmes qui se trouvait au bord du Rhin, non loin du château paternel.

C'est juste à l'époque où l'examen de ce projet se poursuivait auprès de l'archevêque de Strasbourg et où il était sur le point de se réaliser que le sénéchal von Breda reçut notification de la honte de sa fille par le tribunal que l'empereur avait institué et qui l'invitait à envoyer Littegarde à Bâle pour répondre des imputations lancées contre elle par le comte Jacob. L'acte du tribunal précisait l'heure et le lieu où le comte, dans ses allégations, prétendait avoir fait sa visite secrète à dame Littegarde et l'on y joignait même un anneau qui venait de son époux défunt et que le comte assurait avoir reçu de sa main, en se séparant d'elle, comme souvenir de cette nuit-là. Or, le jour même où l'acte lui parvint, le seigneur Winfried souffrait d'un grave et pénible malaise dû à l'âge. Chancelant, il allait et venait dans sa chambre, en proie à une violente agitation, sa fille le tenant par la main : déjà se fixait dans ses yeux le but assigné à tout ce qui respire, si bien qu'en lisant l'effroyable notification il fut à l'instant frappé d'une attaque, laissa tomber la feuille et s'effondra sur le plancher, les membres paralysés. Ses fils, qui étaient là, le relevèrent, éperdus, et appelèrent un médecin qui le soignait et logeait dans une annexe du château. Tous leurs efforts ne parvinrent pas à le rappeler à la vie. Il expira, tandis que dame Littegarde gisait évanouie entre les bras de ses femmes et, quand elle se réveilla, elle n'eut même pas cette dernière consolation amèrement douce de lui avoir donné pour le voyage éternel une parole qui défendît son honneur. L'épouvante des deux frères devant ce coup sans remède était indescriptible, comme aussi leur fureur devant l'action scandaleuse dont leur sœur était accusée, hélas ! avec trop de vraisemblance, et qui était cause de tout.

Ils ne savaient que trop bien, en effet, que, durant

tout l'été, le comte Jacob Barberousse lui avait fait en réalité une cour pressante : il avait organisé, purement en son honneur, tournois et banquets, et il lui avait marqué ses préférences d'une façon déjà très choquante alors, devant toutes les autres femmes qu'il y invitait. Ils se rappelaient même que, juste vers l'époque de cette Saint-Remi, elle avait prétendu avoir perdu dans une promenade cet anneau qu'elle tenait de son époux et qui reparaissait si étrangement entre les mains du comte. Aussi ne doutaient-ils pas un instant de la véracité de la déposition qu'il avait faite devant le tribunal. On avait emporté, au milieu des lamentations de toute la domesticité, le cadavre de son père, et c'est en vain qu'elle embrassait les genoux de ses frères, les priant de l'entendre, ne fût-ce qu'un instant.

Rudolph, enflammé d'indignation, lui demanda si elle pouvait prouver la vanité de l'imputation en produisant un témoin ; toute tremblante, elle répondit qu'elle ne pouvait, hélas ! qu'invoquer l'intégrité de son genre de vie : sa caméristе, en effet, n'était justement pas dans sa chambre à coucher, se trouvant, cette nuit-là, chez ses parents qu'elle était allée voir. Alors, il l'écarta de lui à coups de pied ; il prit une épée qui pendait à la muraille, dégaina et, hors de lui, dans un transport de fureur, appelant chiens et valets, il lui enjoignit de quitter sur l'heure et la demeure et le château. Littegarde se redressa, pâle comme un marbre ; esquivant sans mot dire ses violences, elle lui demanda de lui laisser au moins le temps nécessaire pour la préparation de ce voyage imposé, mais Rudolph, écumant de rage, se borna à répondre : « Dehors ! Hors du château ! » Il demeura sourd aux prières de sa propre femme qui s'interposait, lui demandant de se montrer clément et humain, et, dans son exaspération, il rejeta de côté la malheureuse Littegarde, en lui donnant, avec la poignée de son épée, un coup qui la mit en sang : alors, plus morte que vive, elle quitta la chambre. Chancelante, sous les regards des valets attroupés, elle traversa la cour jusqu'à l'entrée où Rudolph lui fit passer un paquet de linge auquel il avait joint un peu d'argent, et il ferma lui-même derrière elle les battants de la porte avec des jurements et des imprécations.

Une chute aussi soudaine, du faîte d'un bonheur serein et presque sans nuage dans les profondeurs d'une misère immense et sans recours possible, était plus que ce que la pauvre femme pouvait supporter. Sans savoir où elle devait se diriger, elle descendit en chancelant le sentier de roches, en s'appuyant à la balustrade, afin de se trouver au moins un abri pour la nuit qui approchait. Mais avant même qu'elle eût atteint l'entrée du petit village dispersé au fond de la vallée, ses forces l'abandonnèrent et elle s'affaissa sur le sol. Elle pouvait bien être restée ainsi une heure, affranchie de toutes les souffrances terrestres, et une obscurité complète couvrait déjà le pays lorsqu'elle se réveilla, entourée de quelques charitables habitants du lieu. Un jeune garçon qui jouait sur la pente des rochers l'avait bien remarquée, et il avait fait le récit, chez ses parents, d'une scène à ce point étrange et stupéfiante. Alors ces gens, qui avaient reçu toutes sortes de bienfaits de Littegarde, bouleversés de la savoir en une telle détresse, étaient partis sur-le-champ pour courir à son secours autant qu'il était en leur pouvoir. Grâce à leurs efforts, elle ne tarda pas à se remettre, et la vue du château, toutes portes fermées derrière elle, lui rendit toute sa conscience. Elle écarta l'offre que lui faisaient deux femmes de la ramener au château ; elle leur demanda seulement d'avoir la complaisance de lui procurer immédiatement un guide, pour qu'elle pût reprendre sa route. En vain les gens lui représentèrent que, dans l'état où elle était, elle ne pouvait entreprendre aucun voyage : sous le prétexte que sa vie était en danger, Littegarde persista à vouloir quitter sur l'heure les frontières du domaine, et même, comme l'attroupement se faisait toujours plus dense autour d'elle, sans lui être d'aucun secours, elle se mit en devoir de s'en arracher de force, pour se remettre en chemin toute seule, malgré l'obscurité de la nuit tombante. Alors les gens ainsi contraints, redoutant que leur seigneur ne s'en prît à eux au cas où il lui arriverait malheur, se rendirent à son désir. Ils lui procurèrent une charrette qui partit avec elle pour Bâle, quand on lui eut demandé à plusieurs reprises en quel endroit enfin elle voulait réellement se rendre.

Cependant, dès la sortie du village, après un mûr examen de la situation, elle prit une résolution différente et enjoignit à son conducteur de revenir en arrière pour l'emmener au Trotenburg, éloigné seulement de quelques lieues. Elle sentait bien, en effet, que, sans assistance, elle n'arriverait à rien au tribunal de Bâle contre un adversaire de la taille du comte Jacob Barberousse, et personne ne lui paraissait plus digne d'être appelé avec confiance à la défense de son honneur que son vaillant ami, toujours dévoué d'amour pour elle, — cela, elle le savait bien, — l'excellent seigneur chambellan Friedrich von Trota. Il pouvait être près de minuit, et les lumières du château brillaient encore lorsqu'elle y arriva avec sa charrette, accablée de fatigue par le voyage. Elle envoya un domestique venu à sa rencontre pour annoncer son arrivée à la famille. Mais, avant qu'il eût pu donner suite à sa demande, les demoiselles Bertha et Kunigunde, sœurs du seigneur Friedrich, qui se trouvaient par hasard dans la grande salle du bas, apparurent devant la porte. En amies, elles aidèrent Littegarde, qu'elles connaissaient bien et saluèrent avec joie, à descendre de la voiture et, avec un vague sentiment d'angoisse, elles montèrent avec elle chez leur frère qui était assis à une table, submergé par le flot des pièces d'un procès. Qui pourrait dépeindre son étonnement quand, tournant la tête au bruit qu'il avait perçu derrière lui, il vit Littegarde, le visage blême et altéré, image vivante du désespoir, se jeter à genoux devant lui ? « Ma bien chère Littegarde ! »

cria-t-il en se dressant pour la relever, « que vous est-il arrivé ? » Littegarde, qui s'était laissée tomber sur un siège, lui fit le récit de son malheur. Elle lui dit comment le comte Jacob Barberousse l'avait mise en cause de façon infâme devant le tribunal de Bâle, pour se laver des soupçons relatifs au meurtre du comte ; comment, à cette nouvelle, son vieux père, souffrant déjà de malaises, avait été frappé d'apoplexie foudroyante et avait succombé en quelques minutes dans les bras de ses fils ; comment enfin ceux-ci, dans leur fureur exaspérée, sans entendre ce qu'elle pouvait présenter pour sa défense, l'avaient terrifiée par un déluge de brutalités et enfin l'avaient chassée de la maison comme une criminelle.

Elle priait le seigneur Friedrich de l'aider à se rendre à Bâle avec une escorte convenable, et, là, de l'adresser à un homme de loi qui pût l'assister de ses conseils sages et avisés contre cette inculpation infamante, quand elle comparaîtrait devant le tribunal constitué par l'empereur. Elle lui assura que, de la bouche d'un Parthe ou d'un Perse qu'elle n'avait vu de sa vie une telle assertion ne pouvait pas être pour elle plus inattendue que de la bouche d'un Jacob Barberousse, cet homme qu'elle avait toujours haï du fond de l'âme, tant pour sa mauvaise réputation que pour son aspect physique, et dont elle avait toujours repoussé avec la froideur et le dédain les plus grands les propos galants qu'il se permettait quelquefois de lui tenir, dans les festins de l'été précédent. « Il suffit, ma bien chère Littegarde ! » s'écria Friedrich, en lui prenant la main avec un noble empressement et en la portant à ses lèvres. « Ne perdez pas une parole pour défendre et pour établir votre innocence ! Dans mon cœur parle pour vous une voix beaucoup plus vivante et plus convaincante que toutes les assurances, que tous les arguments et toutes les preuves même que vous sauriez apporter en votre faveur au tribunal de Bâle, en les tirant de l'enchaînement des circonstances et des faits. Puisque des frères sans équité ni grandeur d'âme vous abandonnent, acceptez-moi pour votre ami et votre frère et ne me refusez pas la gloire d'être l'avocat de votre cause. Je veux rétablir votre honneur dans son éclat devant le tribunal de Bâle et devant le jugement du monde entier. »

Tandis que Littegarde, tout émue, versait d'abondantes larmes de reconnaissance devant une déclaration aussi chevaleresque, il monta avec elle chez dame Helena, sa mère, qui s'était déjà retirée dans sa chambre. Il la présenta à cette vénérable vieille dame qui avait pour elle une affection toute dévouée, comme une amie qui, à la suite d'une discorde survenue dans sa famille, était descendue chez lui, avec le projet de séjourner quelque temps au château. Cette nuit-là même, on lui aménagea toute une aile de la vaste demeure ; on prit pour elle chez les deux sœurs de quoi garnir abondamment en vêtements et en linge les armoires qui s'y trouvaient et, pour répondre aux convenances de son rang, on mit à sa disposition tout un luxe de domestiques choisis. Dès le surlendemain, le seigneur Friedrich von Trota, qui ne s'était pas ouvert sur la manière dont il pensait conduire sa démonstration devant le tribunal, se trouvait sur la route de Bâle avec une suite nombreuse de cavaliers et de varlets.

Dans l'intervalle, les seigneurs von Breda, frères de Littegarde, avaient fait parvenir au tribunal une lettre sur la scène dont le château avait été le théâtre : dans cette lettre, soit parce qu'ils la croyaient réellement coupable, soit parce qu'ils avaient par ailleurs des motifs de la perdre, ils abandonnaient complètement la pauvre femme à la vindicte des lois, comme une criminelle avérée. Bassement et au mépris de la vérité, ils qualifiaient du moins de fuite volontaire son expulsion du château. Ils décrivaient comment, sans rien pouvoir invoquer en faveur de son innocence, elle avait immédiatement quitté la place, sur quelques observations indignées qui leur avaient échappé. Toutes les recherches auxquelles ils affirmaient s'être livrés à son sujet étant demeurées vaines, ils estimaient qu'elle devait à cette heure vagabonder par le monde, côte à côte avec un nouvel aventurier, pour mettre le comble à sa honte. Ils ajoutaient à cela une requête, demandant que, pour sauver l'honneur de la famille outragée par elle, son nom fût rayé du tableau généalogique de la maison de Breda, et, avec une surabondance de déductions juridiques, ils exposaient leur désir que, en punition de ses agissements inouïs, elle fût déclarée déchue de tous droits sur la succession de leur noble père, précipité au tombeau par sa honte. Or, les juges de Bâle étaient à la vérité très éloignés de donner satisfaction à cette requête qui, d'ailleurs, n'était nullement de leur compétence. Sur ces entrefaites, le comte, dès qu'il eut appris ces nouvelles, donna les preuves les moins équivoques et les plus décisives de l'intérêt qu'il prenait au destin de Littegarde : on sut qu'il avait envoyé en secret des cavaliers à sa recherche, pour lui offrir de la recevoir dans son château. Dans ces conditions, le tribunal ne mit plus du tout en doute la véracité de sa déposition, et il décida de le renvoyer aussitôt des fins de la plainte par laquelle il était impliqué dans le meurtre du duc. En outre, cet intérêt même qu'il témoignait à la malheureuse, en ce moment de détresse, agit de la façon la plus favorable sur l'opinion du peuple dont la sympathie à son égard était très chancelante. On en arrivait à excuser le fait qu'on avait auparavant sévèrement condamné, ce fait de jeter en proie au mépris du monde une femme qui l'aimait profondément, et l'on trouvait qu'en des circonstances à ce point extraordinaires et inouïes, où il ne risquait rien de moins que sa vie et son honneur, il n'avait plus autre chose à faire que de révéler sans scrupule l'intrigue qui s'était déroulée dans la nuit de la Saint-Remi.

Il en résulta que, sur l'ordre exprès de l'empereur, le comte Jacob Barberousse fut à nouveau cité devant le tribunal qui le disculpa solennellement, toutes portes ouvertes, du soupçon d'avoir participé à l'assassinat du duc. Le héraut venait de donner lecture, sous les colonnes de la vaste salle de justice, de la lettre des seigneurs von Breda et, tandis que l'accusé se tenait près de lui, le tribunal s'apprêtait à procéder à son égard, selon les formes, à une réparation d'honneur, lorsque le seigneur Friedrich von Trota s'avança à la barre et, invoquant le droit reconnu à tout assistant désintéressé, il demanda la lettre pour l'examiner un instant. Tous les yeux se tournèrent vers lui et il fut fait selon son désir. Mais à peine Friedrich l'avait-il reçue des mains du héraut qu'il la déchira du haut en bas, après y avoir jeté un coup d'œil rapide, et il en lança les morceaux au visage du comte, en même temps que son gant où il les avait roulés, en lui déclarant qu'il n'était qu'un infâme et vil calomniateur. Quant à lui, il était résolu à prouver à la face du monde que dame Littegarde était innocente de l'acte honteux qu'il lui avait imputé, dans le combat à mort du jugement de Dieu...

Le comte, la pâleur au front, ramassa le gant : « Autant il est vrai, dit-il, que l'équité divine se prononce dans le jugement des armes, autant je te prouverai, dans ce duel d'honneur et de chevalerie, la vérité des divulgations que j'ai faites, au sujet de dame Littegarde, sous l'empire de la nécessité. » Puis, se tournant vers les juges : « Nobles seigneurs, faites à Sa Majesté impériale votre rapport sur l'opposition du seigneur Friedrich et demandez-lui de fixer l'heure et le lieu où nous pourrons nous rencontrer, l'épée à la main, pour la solution de ce différend. » En conséquence, les juges, après avoir levé la séance, envoyèrent à l'empereur une députation, avec un rapport sur l'événement. L'empereur, en voyant le seigneur Friedrich intervenir comme champion de Littegarde, ne fut pas peu déconcerté dans sa croyance en l'innocence du comte ; aussi convoqua-t-il dame Littegarde à Bâle, comme le code d'honneur l'exigeait, pour assister au combat singulier. Pour que la lumière fût faite sur l'étrange mystère qui planait sur cette affaire, il fixa, quant au jour, la Sainte-Marguerite, et, quant au lieu, la place du château de Bâle, pour la rencontre du seigneur Friedrich et du comte Jacob, en présence de dame Littegarde.

Conformément à cette ordonnance, alors que le soleil de midi, en ce jour de la Sainte-Marguerite, montait au-dessus des tours de Bâle et qu'une foule innombrable, pour laquelle on avait construit toute une charpente de bancs et d'échafauds, se trouvait rassemblée sur la place du château, après le triple appel du héraut debout devant la tribune des juges du camp, les deux adversaires entrèrent dans l'enceinte, cuirassés de pied en cap d'airain étincelant, pour vider leur querelle.

Presque toute la chevalerie de Souabe et de Suisse était présente sur la rampe du château qui se trouvait à l'arrière-plan ; au balcon était assis l'empereur lui-même, entouré de sa suite, ayant auprès de lui sa femme, les princes et les princesses, ses fils et ses filles. Un peu avant le début du combat, pendant que les juges fixaient à l'un et à l'autre combattant sa part de lumière et d'ombre, dame Helena et ses deux filles, Bertha et Kunigunde, qui avaient accompagné Littegarde à Bâle, se présentèrent à nouveau à l'entrée de la place et demandèrent à ceux qui la gardaient la permission d'aller dire un mot à dame Littegarde qui, selon une vieille coutume, était assise sur une estrade, à l'intérieur de l'enceinte. Tout en considérant en effet la conduite de cette dame comme digne de la plus parfaite estime et d'une confiance absolument sans limites dans la véracité de ses assurances, elles se trouvaient plongées dans la plus vive inquiétude par cet anneau dont le comte Jacob avait fait parade et encore plus par cette circonstance que la caméristе de Littegarde, le seul témoin qui aurait pu déposer en sa faveur, avait reçu d'elle la permission de s'absenter pendant la nuit de la Saint-Remi. Elles se proposaient de mettre encore une fois à l'épreuve, sous la pression de ce moment suprême, la conscience intime de l'accusée et de lui démontrer combien il serait vain et même sacrilège de sa part, au cas où réellement elle porterait en son âme le poids d'une faute, d'essayer de s'en laver grâce à la décision sacrée des armes qui ne manquerait pas de faire éclater la vérité. Et, de fait, Littegarde avait toutes raisons de bien peser la signification du geste que le seigneur Friedrich accomplissait pour elle : c'était le bûcher qui l'attendait, aussi bien que son ami, le chevalier von Trota, au cas où Dieu, dans le jugement du fer, ne se prononcerait pas pour lui, mais pour le comte Barberousse et pour la vérité de la déposition qu'il avait faite contre elle au tribunal. Dame Littegarde, en voyant entrer la mère du seigneur Friedrich, accompagnée de ses sœurs, se leva de son siège avec la dignité qui était propre à sa personne et que rendait plus émouvante encore la douleur répandue sur sa vie. Elle alla à leur rencontre et leur demanda ce qui les amenait vers elle en un aussi fatal moment. « Ma chère petite fille, lui dit dame Helena qu'elle plaçait auprès d'elle, voulez-vous épargner à une mère qui, à l'âge de la solitude, n'a pas d'autre consolation que d'avoir son fils, le chagrin d'être réduite à verser des larmes sur sa tombe ? Et vous, avant que le combat commence, voulez-vous monter dans une voiture, richement dotée de tout le nécessaire, et accepter de nous, en cadeau, l'un de nos domaines, situé de l'autre côté du Rhin, où vous scrcz reçue avec égards et amitié ? » Une pâleur envahit le visage de Littegarde ; pendant un instant, elle regarda dame Helena bien en face, fléchit un genou devant elle, dès qu'elle eut saisi dans toute sa portée la signification de ces paroles. « Ô vous, dit-elle, la meilleure des femmes et digne de toutes les vénérations ! L'appréhension que Dieu, en cette heure décisive, puisse se prononcer contre l'innocence de mon âme vient-elle du cœur de votre noble fils ? » — « Pourquoi cela ? » demanda dame Helena. — « Parce que, dans ce cas, je l'adjure de s'abstenir de tirer une épée que ne conduit pas une main pleine de confiance : qu'il quitte alors l'enceinte devant son adversaire, sous n'importe quel prétexte honorable, et qu'il m'abandonne à mon destin que je remets dans la main de Dieu, sans écouter un sentiment de pitié dont ce n'est pas le moment et auquel je ne veux rien devoir. » — « Non ! dit dame Helena, toute confuse, mon fils ne sait rien de tout cela. Il serait assez messéant pour lui, qui s'est engagé d'honneur au tribunal à se battre pour votre cause, de vous faire une telle proposition, maintenant que sonne l'heure de la décision. C'est en pleine foi dans votre innocence qu'il est là, comme vous le voyez, dans tout son harnois de combat, en face du comte, votre adversaire. Ce n'était là qu'un projet auquel nous avions pensé, mes filles et moi, dans l'angoisse du moment, en raison de tous ses avantages et pour éviter tout malheur. » — « Eh bien ! dit dame Littegarde, en prenant la main de la vieille dame où elle mit un baiser fiévreux mêlé d'abondantes larmes, eh bien ! laissez-le tenir sa parole ! Ma conscience n'est souillée d'aucune faute et il peut aller au combat sans casque ni armure : Dieu et tous ses anges le défendent ! » À ces mots, elle se releva et conduisit dame Helena et ses filles au-dedans de l'estrade, vers des places qu'on avait aménagées derrière le siège garni de drap rouge sur lequel elle s'assit à son tour.

Sur un signe de l'empereur, la trompette du héraut sonna pour le combat, et les deux chevaliers, épée et bouclier aux mains, s'attaquèrent. Du premier coup, le seigneur Friedrich blessa le comte : de la pointe de son épée pourtant assez courte, il le toucha entre le bras et la main, aux charnières de l'armure. Le comte qui, dans l'émoi de ce coup, avait bondi en arrière et examinait la blessure, découvrit que, malgré l'abondance du sang qui coulait, la peau n'était que superficiellement entamée. Aussi, devant les murmures des chevaliers placés sur la rampe du château qui trouvaient choquante son attitude, il passa de nouveau à l'attaque et reprit le combat en homme qui a retrouvé ses forces dans leur plénitude. Dès lors, on vit ondoyer la lutte entre les deux combattants, pareils à deux vents de tempête qui s'affrontent, à deux nuages d'orage qui, dardant la foudre l'un sur l'autre, s'abordent et, sans se mêler, sous le fracas répété du tonnerre, s'amoncellent en roulant l'un autour de l'autre. Le seigneur Friedrich était là, épée et bouclier en avant, fixé au sol, comme s'il voulait y prendre racine. Jusqu'aux éperons, jusqu'aux chevilles et aux mollets, il s'enfonçait dans cette terre débarrassée de ses pavés, qu'on avait à dessein ameublie, écartant de sa poitrine et de sa tête les coups insidieux du comte qui, petit et agile, attaquait pour ainsi dire de tous les côtés à la fois.

Déjà le combat avait duré une heure, en comptant les pauses auxquelles étaient contraints les deux adversaires hors d'haleine, lorsque, de nouveau, un murmure s'éleva, parmi les spectateurs placés sur l'échafaud. Il semblait bien, cette fois, ne plus s'adresser au comte Jacob qui ne ménageait pas son ardeur pour amener le combat à son terme, mais au seigneur Friedrich, qui restait planté toujours à la même place et, par son abstention étrange et pour le moins têtue de toute offensive, semblait presque sous le coup de l'intimidation. Si bonnes que fussent les raisons sur lesquelles s'appuyait la tactique de Friedrich, il avait une susceptibilité trop vive pour ne pas se faire un devoir de la sacrifier sur-le-champ aux exigences de ceux qui, dans cet instant, décidaient de son honneur. D'un pas vaillant, il abandonna le système qu'il avait adopté dès le début et l'espèce de retranchement naturel qui s'était formé autour de ses pieds, assenant sans faiblir, sur la tête de son adversaire dont les forces commençaient à baisser, une suite de rudes coups qu'il arrivait pourtant à parer de son bouclier, par d'habiles écarts. Mais à peine le duel avait-il ainsi changé d'aspect que le seigneur Friedrich fut frappé d'une disgrâce d'où l'on ne pouvait guère conclure à la présence de puissances supérieures régnant au-dessus de ce combat. En marchant, il s'embarrassa dans ses éperons, trébucha et tomba lourdement ; sous le poids du casque et de la cuirasse alourdissant ses épaules, il s'affaissa sur les genoux, la main appuyée en avant dans la poussière. Alors le comte Jacob Barberousse, d'un coup plutôt dépourvu de noblesse chevaleresque, lui enfonça son épée dans le flanc ainsi découvert. D'un bond, Friedrich se souleva du sol, poussant à l'instant même un cri de douleur. Il assura néanmoins son casque sur ses yeux et, le visage tout de suite tourné de nouveau vers l'adversaire, il se prépara à poursuivre le combat. Mais tandis que son corps, tordu par la souffrance, s'appuyait sur son épée et que les ténèbres inondaient ses yeux, le comte lui porta encore deux coups de sa flamberge dans la poitrine, juste au-dessous du cœur. Alors il s'écroula sur le sol, dans le cliquetis de son armure, laissant tomber près de lui son épée et son bouclier. Le comte lança ses armes à distance, puis, pendant que les trompettes sonnaient à trois reprises, il lui posa le pied sur la poitrine. Tous les spectateurs, l'empereur lui-même en tête, se levaient de leurs sièges, au milieu de sourdes exclamations de terreur et de pitié, lorsque dame Helena, suivie de ses deux filles, vint se jeter sur le corps de son fils chéri qui se roulait dans la poussière et le sang. « Ô mon Friedrich ! » cria-t-elle en s'agenouillant, gémissante, auprès de sa tête, tandis que deux hommes de police relevaient dame Littegarde, inerte et sans connaissance, sur le plancher de l'estrade où elle s'était affaissée et la conduisaient en prison. « Oh ! la sacrilège, poursuivit Helena, la réprouvée qui, ayant au cœur la conscience de sa faute, ose entrer ici et armer le bras de l'ami le plus fidèle et le plus valeureux, pour obtenir un arrêt de Dieu par la décision d'un duel inique. » Tout en parlant, avec des plaintes de douleur, elle soulevait de terre son fils chéri que ses filles débarrassaient de sa cuirasse, et elle cherchait à étancher le sang qui sortait de sa noble poitrine. Mais des gens de police intervinrent, sur l'ordre de l'empereur, pour le mettre lui aussi en lieu sûr, comme tombant sous le coup de la loi. Avec l'assistance de plusieurs médecins, on le plaça sur une civière et, accompagné d'une grande foule, il fut porté à son tour dans une prison où dame Helena et ses filles reçurent toutefois la permission de le suivre, jusqu'à sa mort dont personne ne doutait plus.

Il apparut pourtant très vite que les blessures du seigneur Friedrich, bien qu'intéressant dangereusement des parties vitales et délicates, n'étaient pas mortelles : ainsi en avait disposé le ciel. Bien plus, les médecins qu'on avait placés auprès de lui purent, au bout de quelques jours, donner déjà à la famille la nette assurance qu'il serait sauvé et même qu'en peu de semaines il recouvrerait toutes les forces de son tempérament, sans garder la moindre mutilation sur le corps. Dès que lui revint la conscience dont la douleur l'avait longtemps privé, il ne cessa d'interroger sa mère, pour savoir ce que faisait Littegarde. Il ne pouvait retenir ses larmes quand il se la représentait, livrée en proie aux affres du désespoir, dans la solitude de sa prison ; avec des cajoleries à ses sœurs et en leur caressant le menton, il les engagea à aller la voir et à la consoler. Dame Helena, effarée de tels propos, le pria d'oublier cette femme de honte et de vilenie. Pour elle, le crime que le comte avait fait connaître au tribunal, et sur lequel l'issue du duel avait fait la pleine lumière, pouvait se pardonner, mais non l'impudence et l'effronterie d'en appeler, comme une innocente, au jugement sacré de Dieu, avec la conscience de sa faute, sans égard pour le si noble ami qu'elle jetait ainsi à sa perte. « Hélas ! ma mère, dit le chancelier, quel est le mortel, eût-il en lui la sagesse de tous les temps, qui pourrait se faire fort d'expliquer la mystérieuse sentence que Dieu a rendue dans ce duel ? » — « Quoi ? s'écria dame Helena, le sens de cette sentence divine est resté obscur pour toi ? N'as-tu pas été terrassé dans le combat par le glaive de ton adversaire d'une façon qui ne fut, hélas ! que trop certaine et trop manifeste ? » — « C'est entendu, répliqua Friedrich : pendant un instant, il m'a terrassé. Mais ai-je été vaincu par le comte ? Ne suis-je pas en vie ? Ne suis-je pas florissant comme sous le souffle du ciel, miraculeusement debout encore et peut-être, d'ici à quelques jours, doué déjà de deux et trois fois plus de forces, pour reprendre une fois encore ce combat où je n'ai eu contre moi qu'un accident insignifiant ? » — « Insensé ! s'écria la mère. Et ne sais-tu pas qu'il existe une loi selon laquelle un combat, une fois clos par l'arrêt du juge du camp, ne peut être repris dans l'enceinte du divin tribunal, aux fins de vider le même différend ? » — « Qu'importe ! répliqua le chambellan avec humeur. Ces lois arbitraires des hommes ne sauraient me toucher. Est-il possible de considérer comme clos, à apprécier sainement les choses, un combat qui n'a pas été conduit jusqu'à la mort d'un des deux combattants ? Et au cas où l'on m'autoriserait à le reprendre, n'aurais-je pas le droit d'espérer réparer le malheur qui m'a frappé et obtenir de Dieu, par la vertu de mon épée, une tout autre sentence que celle qu'une interprétation étriquée et obtuse considère aujourd'hui comme telle ? » — « Oui, mais, ces lois, objecta pensivement la mère, ces lois dont tu prétends qu'elles ne te touchent pas, sont souveraines maîtresses ; raisonnables ou non, elles sont les instruments des prescriptions divines ; elles vous livrent, toi et cette femme, comme un couple criminel, marqué d'infamie, à toute la sévérité de la juridiction pénale. » — « Hélas ! s'écria Friedrich, c'est bien là ce qui misérablement me met au désespoir ! La sentence de mort pèse sur elle, comme sur une coupable convaincue ; et c'est moi qui voulais établir sa vertu et son innocence à la face du monde, c'est moi qui l'ai jetée dans cette détresse. Un désastreux faux pas dans les courroies de mes éperons, qui peut-être n'a été voulu par Dieu, tout à fait en dehors de sa cause, à elle, que comme la punition de mes propres péchés, livre aux flammes cette fleur de beauté et son souvenir à une éternelle honte ! »

À ces mots, des larmes brûlantes de virile douleur lui montèrent aux yeux ; en tenant son drap, il se retourna vers la muraille ; dame Helena et ses deux filles, tout émues, s'agenouillèrent en silence auprès de son lit et, couvrant sa main de baisers, mêlèrent leurs larmes aux siennes. Cependant, le geôlier était entré dans la pièce, apportant le repas du prisonnier et des siens ; Friedrich lui demanda des nouvelles de dame Littegarde et, à ses réponses entrecoupées et distraites, il comprit qu'elle était couchée sur une botte de paille et que, depuis le jour où elle avait été enfermée, elle n'avait pas encore prononcé une parole. Le seigneur Friedrich, plongé dans la plus vive inquiétude, le chargea d'annoncer à la dame, pour la tranquilliser, que, par une extraordinaire faveur du ciel, il se trouvait en voie de guérison complète et qu'il lui demandait la permission d'aller la voir un jour dans sa prison, avec l'autorisation de l'intendant du château, quand sa santé serait rétablie. Mais le geôlier revint lui dire qu'après avoir secoué par le bras, à maintes reprises, Littegarde, gisant sur la paille et, comme une démente, ne voyant et n'entendant rien, il n'avait reçu d'autre réponse qu'un refus : elle ne voulait plus voir personne tant qu'elle serait sur la terre... et l'on apprit par surcroît que, dès le jour même, elle avait écrit de sa main une lettre à l'intendant, lui faisant demande expresse de ne laisser pénétrer personne jusqu'à elle, qui que ce fût, mais surtout, et pour rien au monde, le chambellan von Trota. Il en arriva que, poussé par le souci le plus pressant de son état, un jour où il sentait des forces particulièrement vives lui revenir, le seigneur Friedrich, qui avait l'autorisation de l'intendant, n'y tint plus et, sans s'être fait annoncer à Littegarde, sûr de son pardon, se rendit dans sa cellule, en compagnie de sa mère et de ses deux sœurs.

Mais qui pourrait décrire l'effroi de la malheureuse, lorsque, au bruit qui venait de la porte, elle se souleva de sa litière de paille, la poitrine à demi découverte et les cheveux épars et que, au lieu du geôlier qu'elle attendait, elle vit arriver auprès d'elle, au bras de Bertha et de Kunigunde, — apparition d'émouvante mélancolie, — le chancelier, son noble et si grand ami, portant mainte trace encore des souffrances éprouvées. « Va-t'en ! » s'écria-t-elle, en se rejetant en arrière sur les couvertures de sa couche, avec l'expression du désespoir, et en se couvrant le visage de ses mains. « Si une étincelle de pitié couve encore dans ton cœur, va-t'en ! » — « Que dis-tu, ma bien chère Littegarde ? » dit alors Friedrich. Il vint se placer à son côté, en s'appuyant sur sa mère, et, avec une inexprimable émotion, il se pencha sur elle pour lui prendre la main. « Va-t'en ! » cria-t-elle, et elle recula de plusieurs pas devant lui, traînant ses genoux sur la paille, d'un mouvement convulsif. « Si tu ne veux pas que j'en perde la raison, ne me touche pas ! Tu me fais horreur ; les flammes d'un brasier me font moins peur que toi. » — « Moi, te faire horreur ? » répliqua Friedrich, consterné. « En quoi, ma noble Littegarde, ton Friedrich a-t-il mérité un pareil accueil ?... » Tandis qu'ils parlaient, Kunigunde, sur un signe de la mère, avança une chaise et le pressa de s'asseoir, à cause de sa faiblesse. « Jésus ! » s'écria Littegarde, qui, en proie à la plus affreuse angoisse et la face tout contre terre, se prosterna devant lui, « quitte cette cellule, mon bien-aimé, et laisse-moi ! Dans l'ardente ferveur de mon âme, j'embrasse tes genoux, je fais couler mes larmes à tes pieds, roulée devant toi comme un ver dans la poussière, je te supplie d'avoir cette pitié suprême ; mon seigneur bien-aimé, quitte, quitte cette cellule, quitte-la à l'instant même et laisse-moi ! » Le seigneur Friedrich, ébranlé jusqu'au fond de l'être, restait là, debout devant elle. « Est-ce que ma vue est pour toi si affligeante, Littegarde ? » demanda-t-il, en abaissant ses regards sur elle d'un air grave. — « Effroyable, intolérable ; elle me brise ! » répondit Littegarde, le visage caché dans ses mains crispées de désespoir, juste dans l'écartement des pieds de Friedrich. « L'enfer, avec toutes ses transes et ses terreurs, est plus doux pour moi et plus suave à contempler que ton visage tourné vers moi en hommage d'amour ! » — « Dieu du ciel ! s'écria le chancelier, que dois-je penser de ton âme ainsi broyée de repentir ? L'arrêt de Dieu, malheureuse, a-t-il dit la vérité, et ce crime pour lequel le comte t'a traînée en justice, ce crime, en es-tu coupable ? » — « Coupable, convaincue, réprouvée ici-bas, et dans l'éternité maudite et condamnée ! » cria Littegarde, se frappant la poitrine comme dans un délire. « Dieu dit le vrai et ne trompe pas ; va, mon cœur se déchire et mes forces se brisent. Laisse-moi seule avec ma douleur et mon désespoir ! »

En entendant ces mots, le seigneur Friedrich s'évanouit. Tandis que Littegarde s'enveloppait la tête d'un voile et, comme si elle s'exilait totalement du monde, se remettait sur son grabat, Bertha et Kunigunde se jetèrent en gémissant sur leur frère inanimé, pour le rappeler à la vie. « Anathème sur toi ! » s'écria dame Helena, alors que le chancelier rouvrait les yeux, « anathème, pour un repentir sans fin de ce côté-ci de la tombe et, de l'autre côté, pour une damnation sans fin : non à cause de la faute que maintenant tu avoues, mais à cause de cette cruauté inhumaine qui ne t'en a fait faire l'aveu qu'après avoir entraîné avec toi à sa perte mon fils irréprochable ! Insensée que je suis ! poursuivit-elle, en se détournant de Littegarde avec mépris ; que n'ai-je ajouté foi à ce que m'a confié, peu d'instants avant l'ouverture du tribunal de Dieu, le prieur du couvent des Augustins de cette ville qui a reçu la confession du comte, quand il se préparait pieusement en vue de l'heure décisive qui allait sonner pour lui ! Il lui a attesté sur la sainte hostie la véracité de la déposition qu'il avait faite devant les juges au sujet de la misérable. Il lui a indiqué la porte du jardin où, comme il était convenu, elle l'a attendu et reçu à la nuit tombante ; il lui a décrit la chambre, une pièce écartée du donjon inhabité où elle l'a introduite à l'insu des gardiens, ainsi que le lit — un entassement de coussins moelleux et magnifiques sous un baldaquin — qu'elle a partagé secrètement avec lui, toute à ses impudiques débauches ! À une pareille heure, un serment ne contient pas une parcelle de mensonge. Et si j'en avais avisé mon fils, aveugle que j'étais, dès cet instant même où le duel allait se déchaîner, je lui aurais ouvert les yeux et, lui, il aurait reculé d'effroi devant l'abîme au bord duquel il se trouvait... Mais viens », cria-t-elle, et elle prit doucement Friedrich dans ses bras, en posant un baiser sur son front. « Les paroles d'indignation qu'on la juge digne d'entendre ne font que l'honorer ; nous n'avons qu'à lui tourner le dos et à la laisser à son désespoir, écrasée sous les reproches dont nous lui faisons grâce ! »

« Le misérable ! » fit alors Littegarde, qui se souleva, aiguillonnée par ces paroles. Douloureuse, la tête appuyée sur les genoux, versant de brûlantes larmes qui coulaient sur son drap, elle dit : « Je me souviens que, trois jours avant cette nuit de la Saint-Remi, nous étions, mes frères et moi, dans son château. Il avait organisé une fête en mon honneur, comme il avait pris l'habitude de le faire, et mon père, heureux de cet hommage rendu aux charmes florissants de ma jeunesse, m'avait engagée à accepter l'invitation en compagnie de mes frères. Dans la nuit, après le bal, en montant à ma chambre, je trouve un billet déposé sur ma table : écrit d'une main inconnue et sans signature, il contenait une déclaration d'amour en règle. Or, mes deux frères se trouvaient justement alors dans ma chambre, pour convenir avec moi de notre départ qui était fixé au lendemain. Accoutumée à n'avoir pour eux de secret d'aucune sorte, je leur fis voir, saisie d'étonnement et muette, la singulière trouvaille que je venais de faire. Avec des transports de fureur, ils reconnurent immédiatement la main du comte :

l'aîné était d'avis de se rendre à l'instant même, avec le papier, dans son appartement ; mais le plus jeune lui représenta combien cette démarche serait scabreuse, le comte ayant eu la prudence de ne pas signer le billet, sur quoi tous deux, profondément touchés dans leur honneur par une attitude aussi offensante, montèrent avec moi en voiture dans la nuit même et regagnèrent le château paternel, avec la résolution de ne plus désormais faire au comte l'honneur de leur présence dans le sien... Voilà tout ce que j'ai jamais eu de commun, ajouta-t-elle, avec ce vil et bas personnage ! » — « Que dis-tu là ? » fit le chambellan, en tournant vers elle son visage plein de larmes. « Quelle musique pour mes oreilles ont été pour moi ces paroles !... Répète-les-moi ! » ajouta-t-il un peu après, en se mettant à genoux devant elle, les mains jointes. « Ne m'as-tu pas trahi pour ce misérable ? Es-tu pure de la faute pour laquelle il t'a traînée en justice ? » — « Mon aimé ! » murmura Littegarde en pressant sur ses lèvres la main du chambellan. — « Es-tu pure de cette faute, s'écria-t-il, l'es-tu ? » — « Comme le cœur d'un nouveau-né, comme la conscience d'un homme qui sort du confessionnal, comme le corps d'une religieuse défunte, le jour de la prise du voile, dans la sacristie. » — « Sois loué, ô Dieu tout-puissant ! s'écria le seigneur Friedrich. Tes paroles me rendent la vie. La mort ne m'effraie plus et l'éternité qui s'étendait devant moi, tout à l'heure encore, comme une mer de misère infinie, reparaît à mes yeux comme un royaume plein de mille soleils rayonnants ! » — « Malheureux que tu es, dit Littegarde en reculant, comment peux-tu ajouter foi à ce que dit ma bouche ? » — « Pourquoi non ? » demanda Friedrich avec flamme. — « Insensé ! Démoniaque ! s'écria Littegarde, est-ce que le jugement sacré de Dieu n'a pas prononcé contre moi ? Le comte ne t'a-t-il point abattu dans ce duel fatal ? N'a-t-il pas établi par les armes la vérité de ce qu'il a déposé contre moi devant les juges ? » — « Ô ma toute chère Littegarde, s'exclama le chambellan, garde ton cœur du désespoir ! Que le sentiment qui vit au fond de toi se dresse comme un roc ; appuie-toi sur lui sans fléchir, quand bien même à tes pieds et sur ta tête la terre et le ciel s'effondreraient ! Entre deux pensées qui mettent le désordre dans nos âmes, c'est à la plus rationnelle et à la plus compréhensible qu'il faut s'arrêter et, plutôt que de te croire coupable, il vaut mieux croire que, dans le combat que j'ai livré pour toi, c'est moi qui fus vainqueur !... Dieu ! Seigneur de ma vie, reprit-il alors, en se couvrant le visage de ses mains, préserve de tout désordre mon âme elle-même ! Aussi vrai que je veux être sauvé, je pense que l'épée de mon adversaire n'a pas eu raison de moi, car je n'étais pas plutôt terrassé que, sous la poussière de son pied, je me suis senti renaître à la vie. Pourquoi la suprême sagesse de Dieu serait-elle obligée de montrer et d'exprimer la vérité juste au moment où il est invoqué par ses fidèles ? Ô Littegarde, conclut-il en pressant sa main dans les siennes ; dans la vie, portons nos regards vers la mort et, dans la mort, vers l'éternité, en gardant une foi solide et inébranlable : ton innocence apparaîtra sous la sereine et pure lumière du soleil, et cela, grâce au combat que j'ai livré pour toi. » Tandis qu'il parlait, le geôlier entra. Dame Helena, qui pleurait, assise à une table, fit observer que tant d'émotions pouvaient être mauvaises pour son fils ; aussi, sur les instances des siens, le seigneur Friedrich regagna-t-il sa prison, non sans avoir conscience d'avoir laissé et d'emporter lui-même quelque consolation.

Entre-temps, on avait introduit, devant le tribunal institué à Bâle par l'empereur, une plainte contre le seigneur Friedrich von Trota conjointement avec son amie, dame Littegarde von Auerstein, pour avoir, tout en étant coupables, invoqué l'arbitrage de Dieu, et tous deux furent condamnés à périr ignominieusement sur le bûcher, à l'endroit même où avait eu lieu le duel. On envoya une délégation de conseillers pour en donner signification aux prisonniers, et le jugement n'eût pas manqué d'être exécuté aussitôt après le rétablissement du chambellan, si le secret dessein de l'empereur n'eût pas été de voir assister au supplice le comte Jacob Barberousse, à l'égard duquel il ne pouvait pas réprimer une certaine méfiance. Mais le comte était encore souffrant, dans des conditions vraiment singulières et frappantes, de la petite blessure, en apparence sans gravité, qu'il avait reçue du seigneur Friedrich au commencement du duel : un état tout à fait malsain de ses humeurs en retardait la guérison de jour en jour et de semaine en semaine, et tout l'art des médecins qu'on appelait successivement de Souabe et de Suisse n'arrivait pas à la fermer. Le pire fut qu'un virus envahissant, inconnu à toute la médecine de l'époque, rongea comme un chancre de proche en proche toutes les parties de sa main, en creusant jusqu'à l'os, de telle sorte que, au grand effroi de tous ses amis, on fut dans l'obligation de l'amputer de la main attaquée et, par la suite, comme on n'avait pu, même ainsi, enrayer la gangrène, de l'amputer du bras. Mais cette opération elle-même, vantée comme un traitement radical, ne fit qu'empirer le mal — comme on s'en serait facilement avisé de nos jours — au lieu d'y porter remède. Alors les médecins, voyant tout son corps se résoudre peu à peu en purulence et putréfaction, déclarèrent qu'il ne pouvait plus être sauvé et que, dès avant la fin de la semaine, il serait mort. Le prieur du couvent des Augustins qui, dans la tournure inattendue que prenaient les choses, croyait apercevoir la main redoutable de Dieu, somma le comte, mais en vain, de lui avouer la vérité sur le conflit régnant entre lui et la duchesse régente : le comte, sous le coup du plus profond ébranlement, reçut encore une fois la sainte communion en déclarant sa déposition fondée en vérité et, avec tous les signes de l'angoisse la plus atroce, abandonna son âme à la damnation éternelle, au cas où il aurait accusé calomnieusement dame Littegarde. Or, en dépit du dérèglement de ses mœurs, on avait une double raison de croire à la rectitude intime de cette affirmation : d'abord le malade avait certains sentiments réels de piétié qui paraissaient incompatibles avec un faux serment fait à une heure pareille ; ensuite, le guetteur des von Breda ayant été soumis à un interrogatoire — le comte prétendait l'avoir corrompu pour entrer secrètement au château — il en résulta nettement que cette circonstance était exacte et que le comte avait bien passé la nuit de la Saint-Remi dans le château de Breda. Dès lors, il ne restait plus pour ainsi dire au prieur qu'une seule opinion à admettre : le comte avait été mystifié lui-même par une tierce personne inconnue de lui. Et le malheureux qui, à la nouvelle du miraculeux rétablissement du chambellan, en était venu de lui-même à cette pensée terrible, n'avait pas encore atteint le terme de sa vie que cette opinion se fortifia pleinement en lui, pour son désespoir.

Il faut savoir, en effet, que depuis longtemps le comte, avant de fixer ses convoitises sur dame Littegarde, avait avec Rosalie, sa caméristе, une liaison inavouable. Il avait l'habitude, à peu près chaque fois que sa maîtresse venait à son château, d'emmener dans sa chambre cette fille, créature facile et dissolue, pour passer la nuit avec elle. Or, la lettre amoureuse que Littegarde, lors de son dernier séjour au château avec ses frères, avait reçue du comte et où il lui déclarait sa passion, avait éveillé la susceptibilité et la jalousie de la caméristе qui, depuis plusieurs mois déjà, se voyait négligée. Aussi, lors du départ précipité de Littegarde qu'elle devait accompagner, laissa-t-elle, au nom de sa maîtresse, à l'adresse du comte, un billet où elle lui disait que l'indignation de ses frères devant le geste qu'il avait fait ne lui laissait, à la vérité, aucune possibilité de rendez-vous immédiat ; en revanche, elle l'invitait, pour cette rencontre, à venir la voir, dans la demeure de son père, la nuit de la Saint-Remi. Le comte, comblé de joie par le succès de son entreprise, envoya sur l'heure une seconde lettre à

Littegarde : il lui annonçait son arrivée certaine dans la nuit indiquée et lui demandait seulement, pour éviter toute méprise, d'envoyer au-devant de lui un guide sûr qui pût le conduire dans son appartement.

La caméariste, rompue à tous genres d'intrigues, s'attendait à une telle communication : aussi réussit-elle à intercepter la lettre et à faire connaître au comte, dans une seconde fausse réponse, qu'elle l'attendrait en personne à la porte du jardin. Là-dessus, le jour qui précéda la nuit convenue, elle demanda à Littegarde la permission d'aller à la campagne, sous prétexte que sa sœur était malade et qu'elle voulait aller la voir. La permission lui fut accordée, et elle ne quitta guère le château que tard dans l'après-midi, avec un paquet de linge qu'elle portait sous le bras. Ostensiblement, elle prit le chemin de la région où habitait cette femme. Mais, au lieu d'achever son voyage, elle se retrouva au château à la tombée de la nuit, alléguant l'approche d'un orage. Pour ne pas déranger sa maîtresse, car elle avait l'intention, disait-elle, de se mettre en route le lendemain dès l'aube, elle se procura un gîte dans une chambre inoccupée du donjon désert et peu fréquenté. Le comte, qui avait su se ménager l'accès dans le château en donnant de l'argent au guetteur et qui, sur le coup de minuit, comme il était convenu, fut accueilli à la porte du jardin par une personne voilée, ne soupçonna rien — on le conçoit aisément — de la machination dont il était l'objet. La caméariste lui mit un baiser furtif sur les lèvres et, à travers une suite d'escaliers et de couloirs de l'aile déserte de la demeure, le conduisit dans un des plus luxueux appartements de l'habitation même, après avoir eu soin auparavant d'en fermer les fenêtres. Là, après avoir, avec mystère, écouté aux portes de tous les côtés, en le tenant par la main, elle lui chuchota de garder le silence pour cette raison que la chambre à coucher de son frère était toute voisine, puis elle se laissa tomber avec lui sur le canapé qui était auprès d'eux. Le comte, trompé par les lignes et les formes de son corps, se plongeait dans l'ivresse d'avoir, encore à son âge, réussi à faire une telle conquête. Lorsque, aux premières lueurs de l'aube, elle le quitta et lui eut passé au doigt, en souvenir des heures de cette nuit, un anneau que Littegarde avait reçu de son époux et qu'elle lui avait dérobé la veille dans cette intention, il lui promit qu'aussitôt rentré chez lui il lui en donnerait un autre en retour : l'anneau dont sa femme défunte lui avait fait présent le jour de leur mariage. Trois jours après, il tint parole et il envoya en secret au château cet anneau que Rosalie fut assez adroite pour arrêter au passage. Mais ensuite, sans doute par crainte que l'aventure ne l'entraînât trop loin, le comte ne donna plus de ses nouvelles et il évita un second rendez-vous sous des prétextes variés.

Il arriva plus tard que la camériste, à cause d'un vol dont le soupçon pesait sur elle avec un certain degré de certitude, fut congédiée et renvoyée chez ses parents qui habitaient sur les bords du Rhin. Au bout de neuf mois, les suites de sa vie dissolue devinrent visibles et, sa mère l'ayant interrogée avec une sévérité grande, elle dévoila tout le roman secret qui s'était déroulé entre elle et le comte Jacob Barberousse et le donna comme le père de son enfant. Heureusement pour elle, elle n'avait que très timidement essayé, par crainte de passer pour une voleuse, de vendre l'anneau que lui avait envoyé le comte et, de fait, à cause de sa grande valeur, elle n'avait trouvé personne pour se montrer désireux de l'acheter ; aussi la véracité de ses déclarations ne pouvait-elle être mise en doute et les parents, s'appuyant sur cette pièce à conviction, attaquèrent le comte devant les tribunaux, pour qu'il prît la charge de l'enfant. Les tribunaux, qui n'ignoraient pas l'étrange affaire dont avaient eu à connaître les juges de Bâle, s'empressèrent de porter à leur connaissance ce fait nouveau, de la plus grande importance pour l'issue du procès. Justement, un conseiller de leur ville se rendait à Bâle en mission officielle ; pour la solution de la terrible énigme qui agitait toute la Souabe et la Suisse, ils le chargèrent de remettre à Jacob Barberousse une lettre contenant la déposition judiciaire de la fille, en y ajoutant l'anneau.

Le jour fixé pour l'exécution du seigneur Friedrich et de Littegarde était arrivé : l'empereur, ignorant des doutes qui avaient surgi dans le cœur du comte lui-même, n'avait pas cru pouvoir le différer davantage. C'est alors que le conseiller entra, avec cette lettre, dans la chambre du malade qui se roulait sur sa couche, en poussant des gémissements désespérés. « C'en est assez ! » s'exclama-t-il, quand il eut parcouru la lettre et reçu l'anneau, « je suis las de voir la lumière du soleil ! » Puis, se tournant vers le prieur : « Apportez-moi une civière et emmenez au lieu du supplice le misérable que je suis, dont les forces s'abîment dans la poussière. Je ne veux pas mourir sans avoir accompli un acte de justice ! » Le prieur, bouleversé par cette scène, le fit aussitôt, selon son désir, installer sur un brancard par quatre valets, et sans retard, avec une foule innombrable qui se rassemblait, au son des cloches, autour du bûcher où l'on avait déjà attaché Friedrich et Littegarde, il arriva sur la place avec le malheureux qui tenait un crucifix à la main. « Halte ! » cria le prieur, faisant déposer la civière en face du balcon de l'empereur. « Avant de mettre le feu à ce bûcher, écoutez ce que la bouche de ce pécheur a à vous faire entendre ! »

« Eh quoi ? » dit l'empereur, qui, blêmissant, se levait de son siège, « le jugement sacré de Dieu ne s'est-il pas prononcé pour la justice de sa cause et va-t-il donc être permis, après ce qui s'est passé, de penser que Littegarde est innocente de l'acte criminel pour lequel il l'a traînée en justice ?... » Effaré, il descendit du balcon, et plus de mille chevaliers, suivis de tout le peuple qui affluait par-dessus les bancs et les barrières, se massèrent autour de la couche du malade. « Innocente ! » répliqua le comte, en s'appuyant sur le prieur pour se redresser à demi, « ainsi l'a décidé la sentence du Dieu souverain, en ce jour fatal, devant les yeux de tous les bourgeois de Bâle rassemblés ! Lui, en effet, frappé de trois blessures dont chacune était mortelle, est là, comme vous voyez, en pleine santé et dans l'épanouissement des forces de la vie, tandis qu'un coup de sa main qui semblait à peine m'avoir touché l'épiderme, dans une marche lente et terrible, a gagné jusqu'au cœur même de ma vie, en abattant mes forces comme la bourrasque abat un gland. Mais maintenant, au cas où quelque incrédule garderait encore un doute, voici les preuves : c'est Rosalie, sa camériste, qui m'a reçu dans cette nuit de la Saint-Remi, alors que moi, le misérable, dans l'aveuglement de mes sens, je croyais tenir dans mes bras celle-là même qui a toujours repoussé mes avances avec mépris ! »

À ces mots, l'empereur resta immobile comme une statue de pierre. Se tournant vers le bûcher, il envoya un chevalier avec l'ordre de gravir lui-même l'échelle, de délier et de lui amener le chancelier ainsi que la dame, tombée déjà évanouie dans les bras de la mère. « Maintenant, chaque cheveu de votre tête a pour gardien un ange ! » s'écria-t-il, au moment où Littegarde, la poitrine à demi découverte et la chevelure dénouée, parvint jusqu'à lui, à travers la foule qui, saisie de respect et de surprise, s'ouvrait devant elle. Elle tenait par la main son ami, le seigneur Friedrich qui, lui-même, au sentiment de cette miraculeuse délivrance, sentait ses genoux défaillir. Ils s'étaient agenouillés devant lui et il les baisa tous deux au front. Après avoir demandé l'hermine que portait sa femme et qu'il passa sur les épaules de Littegarde, il lui prit le bras, en présence de tous les chevaliers rassemblés, pour la conduire lui-même dans les appartements du château impérial.

Tandis que le chambellan, de son côté, échangeait le cilice dont il était revêtu contre les insignes du chevalier, chapeau à plume et manteau, l'empereur se tourna vers le comte qui se tordait lamentablement sur la civière. Mû par un sentiment de pitié, car cet homme, somme toute, ne s'était pas engagé dans ce duel, néfaste pour lui, d'une façon précisément criminelle et sacrilège, il demanda au médecin qui se tenait auprès du malheureux s'il n'y avait pas un moyen de le sauver. « Inutile ! » répondit Jacob Barberousse qui, en proie à des convulsions atroces, s'appuyait contre la poitrine de son médecin, « j'ai mérité la mort que je subis. Sachez, en effet, puisque maintenant le bras de la justice terrestre ne pourra plus m'atteindre, que je suis le meurtrier de mon frère, le noble duc Wilhelm von Breisach : le bandit qui l'a abattu avec la flèche sortie de mon magasin d'armes, je l'avais soudoyé six semaines auparavant, pour accomplir cet acte qui devait me donner la couronne... » Cette déclaration faite, il s'affaissa sur la civière et, dans un souffle, rendit son âme de ténèbres.

« Ah ! le pressentiment même du duc, mon époux ! » s'écria, au côté de l'empereur, la régente qui avait quitté le balcon du château avec la suite de l'impératrice pour descendre également sur la place. « Juste au moment de mourir, il m'en a fait part, à mots entrecoupés que je n'arrivai à comprendre alors qu'imparfaitement. » L'empereur répliqua avec indignation : « Le bras de la justice atteindra quand même ton cadavre ! » et, se retournant vers les gens de police : « Prenez-le, s'écria-t-il, et livrez-le tout de suite aux bourreaux dans l'état où il est : que, pour la flétrissure de sa mémoire, il soit la proie dc ce bûcher où, si on l'eût écouté, il allait nous faire sacrifier deux innocents ! » Puis, tandis que le cadavre du misérable, crépitant dans les flammes rousses du bûcher, se dissipait en fumée dans les airs, emporté par le souffle du vent du nord, l'empereur, escorté de tous ses chevaliers, conduisit Littegarde au château. Par un décret d'empire, il la rétablit dans l'héritage de son père dont ses frères, dans leur basse cupidité, avaient déjà pris possession. Dès la fin de la troisième semaine, le mariage des deux valeureux fiancés fut célébré au château de Breisach et, à cette occasion, la duchesse régente, qui se félicitait de la tournure qu'avaient prise tous ces événements, donna à Littegarde, en cadeau d'hyménée, une grande partie des biens du comte, légalement confisqués. Quant à l'empereur, après la cérémonie, il passa autour du cou du seigneur Friedrich un collier d'honneur, et dès que, après avoir réglé ses affaires avec la Suisse, il fut rentré à Worms, dans les statuts du jugement sacré de Dieu, en tous endroits où il est censé mettre par sa seule vertu la faute en lumière, il fit intercaler ces mots : « Si telle est la volonté divine. »

Traduction par G. LA FLIZE.

# BIBLIOGRAPHIE SELECTIVE

## EDITION ORIGINALE DES NOUVELLES DE KLEIST

*Erzählungen*. Von Heinrich von Kleist. Berlin, in der Realschulbuchhandlung. 2 vol., 1810 et 1811.

Le premier volume contient aussi « Michael Kohlhaas ». Dans le présent recueil, l'ordre des nouvelles est conforme à celui de l'édition originale.

## AUTRES ŒUVRES DE KLEIST EN TRADUCTION FRANÇAISE

*Amphitryon, une comédie d'après Molière,* trad. Henri-Alexis Baatsch, Paris, Papiers, 1986.

*La Bataille d'Arminius,* trad. R. Amyard et L. Roy, Paris, Editions Montaigne, 1931.

*La Cruche cassée,* trad. Roger Ayrault, Paris, Editions Montaigne, 1961.

*La Famille Schroffenstein,* trad. Eloi Recoing et Ruth Orthmann, Paris, Actes Sud — Papiers, 1990.

*Michael Kohlhaas,* Paris, Flammation, « GF » (à paraître).

*L'Ordalie ou la Petite Catherine de Heilbronn,* adaptation de Jean Anouilh, *L'Avant-Scène. Théâtre,* 372, 1965.

*Penthésilée,* trad. Julien Gracq, Paris, Corti, 1954 ; 1988.

*Le Prince de Hombourg,* trad. André Robert, Paris, Flammarion, 1990.

*Anecdotes et petits écrits*, trad. Jean Ruffet, Paris, Payot, 1981.
*Sur le théâtre de marionnettes*, trad. Roger Munier, Paris, Editions Traversière, 1982.
*Correspondance, 1793-1811*, trad. Jean-Claude Schneider, Paris, Gallimard, 1976.

## ŒUVRES COMPLETES

*Werke. Kritisch durchgesehene und erläuterte Ausgabe*, éd. Erich SCHMIDT, avec la collaboration de Georg MINDE-POUET et de Reinhold STEIG, Leipzig, Wien, Bibliographisches Institut, 1re éd. 1904-1905, 5 vol.; 2e éd. 1936-1938, 7 vol.
*Sämtliche Werke und Briefe*, éd. Helmut SEMBDNER, München, Hanser, 1954, 2 vol; nouvelle édition revue et complétée 1961; 7e éd. 1984, rééditée au Deutscher Taschenbuch Verlag, 1987.
*Werke und Briefe*, éd. Siegfried STRELLER et al., Berlin, Aufbau, 1978, 4 vol.

## ETUDES SUR KLEIST EN LANGUE FRANÇAISE

AYRAULT Roger : *Heinrich von Kleist*, Paris, Nizet et Bastard, 1934; Aubier-Montaigne, 1966.
AYRAULT Roger : *La Légende de Kleist. Un poète devant la critique*, Paris, Nizet et Bastard, 1934.
BRUN Jacques : *L'Univers tragique de Kleist*, Paris, Société d'Edition d'Enseignement Supérieur, 1966.
CARRIERE Mathieu : *Pour une littérature de guerre, Kleist*, trad. Martin Ziegler, Le Paradou, Actes Sud, 1985.
*Europe*, nos 686-687, juin-juillet 1986, numéro spécial consacré à Kleist. Articles de portée générale : Pierre BERTAUX : « Kleist et la France », p. 3-8; Georges-Arthur GOLDSCHMIDT : « Le problème de l'existence chez Kleist et Kafka », p. 23-31; Francine de MARTINOIR : « Un été allemand », p. 9-12; Jean RUFFET : « Le commandant Bureau », p. 40-47. Sur « Le Tremblement de terre au Chili » : Elisabeth GUIBERT-SLEDZIEWSKI : « La théorie de la catastrophe », p. 32-39. Sur « La Marquise d'O... » : Nelly STEPHANE : « Majeurs et mineurs, majeures et mineures », p. 48-53.

LOMBARD Jean-Charles : *Henri de Kleist,* Paris, Seghers, « Ecrivains de toujours », 1967.

ROBERT Marthe : *Un homme inexprimable. Essai sur l'œuvre de Kleist,* Paris, L'Arche, 1955 ; 2e éd. 1981.

ZWEIG Stefan : *Le combat avec le démon. Kleist, Höderlin, Nietzsche,* trad. Alzir Hella, Paris, Belfond, 1983.

## BIBLIOGRAPHIES, ETATS DE TRAVAUX

KANZOG Klaus : *Edition und Engagement. 150 Jahre Editionsgeschichte der Werke und Briefe Heinrich von Kleists,* Berlin, New York, de Gruyter, 1979, 2 vol.

MINDET-POUET Georg : « Kleist-Bibliographie 1914-1937 », *Jahrbuch der Kleist-Gesellschaft,* 1921-1937.

KLUCKHOHN Paul : « Kleist-Forschung 1926-1943 », *Deutsche Vierteljahrsschrift für Literaturwissenschaft und Geistesgeschichte,* 1943, Referentheft, p. 45-87.

ROTHE Eva : « Kleist-Bibliographie 1945-1960 », *Jahrbuch der Deutschen Schiller-Gesellschaft* », 1961, p. 415-457.

LEFEVRE Manfred : « Kleist-Forschung 1961-1967 », *Colloquia Germanica,* 1963, p. 1-86.

RIBBAT Ernst : « Neue Kleist-Forschungen. Ein Zwischenbericht, zu einigen Neuerscheinungen, 1983-1984 », *Zeitschrift für deutsche Philologie,* 1986, p. 283-292.

## ETUDES GENERALES, BIOGRAPHIQUES ET CRITIQUES

BLÖCKNER Günter : *Heinrich von Kleist oder das absolute Ich,* Berlin, Argon, 1960.

BRAHM Otto : *Heinrich von Kleist,* Berlin, Fleischel, 1884.

DETTMERING Peter : *Heinrich von Kleist. Zur Psychodynamik seiner Dichtung,* München, Nymphenburger Verlagshandlung, 1975.

FRICKE Gerhard : *Gefühl und Schicksal bei Heinrich von Kleist. Studien über den inneren Vorgang im Leben und Schaffen des Dichters,* Berlin, Junker und Dünnhaupt, 1926, 2e éd. Darmstadt, Wissenschaftliche Buchgesellschaft, 1975.

GOLDAMMER Peter, éd. : *Schriftsteller über Kleist,* Berlin, Weimar, Aufbau, 1976.

GRAHAM Ilse : *Heinrich von Kleist : Word into Flesh. A Poet's Quest for the Symbol,* Berlin, New York, de Gruyter, 1977.

GUNDOLF Friedrich : *Heinrich von Kleist,* Berlin, G. Bondi, 1922.

HOHOFF Curt : *Kleist,* Hamburg, Rowohlt, 1958.

KOMMERELL Max : « Die Sprache und das Unaussprechliche. Eine Betrachtung über Heinrich von Kleist », dans *Geist und Buchstabe der Dichtung,* Frankfurt, Klostermann, 1940 ; 4e éd. 1956.

MEYER-BENFEY Heinrich : *Kleists Leben und Werke,* Göttingen, O. Hapke, 1911.

MUSCHG Walter : *Kleist,* Zurich, Seldwyla, 1923.

MÜLLER-SEIDEL Walter : *Verstehen und Erkennen. Eine Studie über Heinrich von Kleist,* Köln, Graz, Böhlau, 1961.

MÜLLER-SEIDEL Walter, éd. : *Heinrich von Kleist. Aufsätze und Essays,* Darmstadt, Wissenschaftliche Buchgesellschaft, 1967 (MÜLLER-SEIDEL I par la suite).

MÜLLER-SEIDEL Walter, éd. : *Heinrich von Kleists Aktualität. Neue Aufsätze und Essays, 1966-1978,* Darmstadt, Wissenschaftliche Buchgesellschaft, 1981 (MÜLLER-SEIDEL II par la suite).

MÜLLER-SEIDEL Walter, éd. : *Kleist und Frankreich,* Berlin, E. Schmidt, 1969.

SEMBDNER Helmut : *Kleists Lebensspuren. Dokumente und Berichte der Zeitgenossen,* Bremen, Schünemann, 1967 ; erweiterte Neuausgabe, Frankfurt, Insel, 1977.

SEMBDNER Helmut : *Heinrich von Kleists Nachruhm, eine Wirkungsgeschichte in Dokumenten,* Bremen, Schünemann, 1967.

SEMBDNER Helmut : *In Sachen Kleist. Beiträge zur Forschung,* München, Hanser, 1964.

UGRINSKY Alexej, éd. *Henrich von Kleist-Studien,* Berlin, Erich Schmidt, 1980.

## ETUDES SUR LES NOUVELLES

BECKMANN Beat : *Kleists Bewusstseinskritik. Eine Untersuchung der Erzählsform in seiner Novellen,* Bern, Frankfurt, Peter Lang, 1978.

CONRADY Karl Otto : « Das Moralische in Kleists Erzählungen », dans MÜLLER-SEIDEL I, p. 707-735.

DAVIDTS Hermann : *Die novellistische Kunst Heinrich von Kleists*, Berlin, G. Grotesche Verlagsbuchhandlung, 1913 ; reprint Hildesheim, Gerstenberg, 1973.
DYER Denis : *The Stories of Kleist. A Critical Study*, New York, Holmes and Meier, 1977.
GASSEN Kurt : *Die Chronologie der Novellen Heinrich von Kleists*, Weimar, Duncker, 1920 ; reprint Hildesheim, Gerstenberg, 1976.
HEINRITZ Richard : *Kleists Erzähltexte : Interpretation nach formalistischen Theorieansätzen*, Erlangen, Palm und Enke, 1983.
HERMANN Hans Peter : « Zufall und Ich. Zum begriff der Situation in der Novellen Heinrich von Kleists » (1961), dans MÜLLER-SEIDEL I, p. 367-411.
HORN Peter : *Heinrich von Kleists Erzählungen. Eine Einführung*, Königstein, Scriptor, 1978.
KANZOG Klaus, éd. : *Erzählstrukturen — Filmstrukturen : Erzählungen Heinrich von Kleists und ihre filmische Realisation*, Berlin, E. Schmidt, 1981.
KAYSER Wolfgang : « Kleist als Erzähler » (1954), dans MÜLLER-SEIDEL I, p. 223-243.
KOOPMANN Helmut : « Das " rätselhafte Faktum " und seine Vorgeschichte, zum analytischen Charakter der Novellen Heinrich von Kleists », *Zeitschrift für deutsche Philologie*, 1965, p. 508-550.
MANN Thomas : « Heinrich von Kleist und seine Erzählungen » (1954), dans *Gesammelte Werke*, Frankfurt, Fischer, 1960, t. 9, p. 823-842.
MÜLLER-SALGET Klaus : « Das Prinzip der Doppeldeutigkeit in Kleists Erzählungen » (1973), dans MÜLLER-SEIDEL II, p. 166-199.
NEDDE Dietmar : *Untersuchungen zur Struktur von Dichtung an Novellen Heinrich von Kleists*, Göttingen (thèse), 1976.
SCHANZE Helmut : *Index zu Heinrich von Kleist, Sämtliche Erzählungen, Erzählvarianten, Anekdoten*, Frankfurt, Bonn, Athäneum, 1969.

*Etudes sur « La Marquise d'O... »*

COHN Dorrit : « Kleist's *Marquise von O...* The Problem of Knowledge », *Monatshefte*, 1975, p. 147-157.
HUFF Steven R. : « Kleist and Expectant Virgins : The Meaning of the *Marquise von O...* », *Journal of English and Germanic Philology*, 1982, 367-375.

MÜLLER-SEIDEL Walter : « Die Struktur des Widerspruchs in Kleists *Marquise von O...* » (1954), dans MÜLLER-SEIDEL I, p. 244-268.

POLITZER Heinz : « Der Fall der Frau Marquise », *Deutsche Vierteljahrsschrift für Literaturwissenschaft und Geistesgeschichte*, 1977, p. 98-128.

*Etudes sur « Le Tremblement de terre du Chili »*

JOHNSON Richard L. : « Kleist's *Erdbeben in Chili* », *Seminar*, 1975, p. 33-45.

LUCAS R. S. : « Studies in Kleist. *Das Erdbeben in Chili* », *Deutsche Vierteljahrsschrift für Literaturwissenschaft und Geistesgeschichte*, 1970, p. 145-170.

SILZ Walter : « *Das Erdbeben in Chili* » (1961), MÜLLER-SEIDEL I, p. 351-366.

WELLBERY David E., éd. : *Positionen der Literaturwissenschaft. 8 Modellanalysen am Beispiel Kleists « Das Erdbeben in Chili »*, München, Beck, 1985.

WIESE Benno von : « Henrich von Kleist, *Das Erdbeben in Chili* », *Jahrbuch der deutschen Schillergesellschaft*, 1961, p. 102-117.

*Etudes sur « Les Fiancés de Saint-Domingue »*

GILMAN Sander L. : « The Asthetics of Blackness in Heinrich von Kleist's *Die Verlobung in St. Domingo* », *Modern Language Notes*, 1975, p. 661-672.

MIEDER Wolfgang : « Triadische Grundstruktur in Heinrich von Kleists *Verlobung in St. Domingo* », *Neophilologus*, 1974, p. 395-405.

*Etudes sur « La Mendiante de Locarno »*

HIMMEL Hellmuth : « Musikalische Fugentechnik in Kleists *Das Bettelweib von Locarno* », *Sprachkunst*, 1971, p. 188-210.

LEROY Robert : « Die Brüchigkeit als Erzählprinzip in Kleists *Das Bettelweib von Locarno* », *Etudes germaniques*, 1979, p. 154-165.

STAIGER Emil : « Heinrich von Kleist, *Das Bettelweib von Locarno*. Zum Problem des dramatischen Stils » (1942), dans MÜLLER-SEIDEL I, p. 113-129.

*Etudes sur « L'Enfant trouvé »*

HEUBI Albert : *Heinrich von Kleists Novelle « Der Findling ». Motivuntersuchungen. Erklärung im Rahmen des Gesamtwerks*, thèse, Zürich, 1948.

MÜLLER Joachim : « Zufall und Verfall. Geschehenswelt und Erzählstruktur in Kleists *Der Findling* », *Zeitschrift für Germanistik*, 1982, p. 427-438.

REINHARDT G. W. : « Turbulence and Enigma in Kleist's *Der Findling* », *Essays in Literature*, 1977, p. 265-274.

RYDER Frank G. : « Kleist's *Der Findling* : Œdipus manqué ? », *Modern Language Notes*, 1977, p. 509-522.

*Etudes sur « Sainte Cécile ou la puissance de la musique »*

GRAF Günter : « Der dramatische Aufbaustil der Legende Heinrich von Kleists *Die heilige Cäcilie* », *Etudes germaniques*, 1969, p. 346-359.

REINE Thomas : « Kleist's St. Cecilia and the Power of Politics », *Seminar*, 1980, p. 72-82.

WITTKOWSKI Wolfgang : « *Die heilige Cäcilie* und *Der Zweikampf*. Kleists Legenden und die romantische Ironie », *Colloquia Germanica*, 1972, p. 17-58.

*Etudes sur « Le Duel »*

BELHALFAUOUI Barbara : « *Der Zweikampf* von Heinrich von Kleist oder die Dialektik von Absolutheit und ihre Trübung », *Etudes germaniques*, 1981, p. 22-42.

FISCHER Ernst : « Der Ernst des Scheins in der Prosa Kleists, am Beispiel des *Zweikampfs* », *Zeitschrift für deutsche Philologie*, 1986, p. 213-234.

LOUKOPOULOS Wassili : *Heinrich von Kleist, « Der Zweikampf ». Eine Sturkturanalyse der Syntax unter dem Aspekt des Subjektgebrauchs*, Stuttgart, Hochschulverlag, 1978.

A.F.

# CHRONOLOGIE

**1777** (18 octobre) : naissance à Francfort-sur-l'Oder de Bernd Heinrich Wilhelm von Kleist, fils aîné du capitaine Joachim Friedrich von Kleist et de sa seconde épouse, Juliane Ulrike, née von Pannwitz. Du premier mariage du père sont nées Wilhelmine et Ulrike (à cette dernière, Kleist sera intimement lié jusqu'à sa mort) ; du second mariage sont nés Friederike, Auguste, Leopold et Juliane.

Premières études avec le précepteur Christian Ernst Martini qui aura par la suite l'estime et l'entière confiance du jeune Kleist.

**1788** (18 juin) : mort du père.

Etudes à Berlin, à la pension du pasteur Samuel Heinrich Catel.

**1792** (1^er^ juin) : Kleist entre comme caporal au régiment de Gardes de Potsdam. Son régiment participera à la campagne du Rhin.

**1793** (3 février) : mort de la mère.

**1795** (14 mai) : Kleist obtient le grade d'enseigne. Retour à Potsdam.

**1797** (7 mars) : Kleist obtient le grade de sous-lieutenant.

**1798** : études de mathématiques. Voyage dans le Harz. *Essai pour trouver le sûr chemin du bonheur*.

**1799** (4 avril) : Kleist quitte l'armée pour se consacrer aux études avec l'intention d'entrer plus tard au service de l'Etat.

Le 10 avril, inscription à l'Université de Francfort-sur-l'Oder, où il étudiera la physique, les mathématiques, l'histoire culturelle, le droit naturel et le latin.

Voyage aux Riesengebirge avec Martini, sa sœur Ulrike et son frère Leopold.

**1800** (début) : fiançailles avec Wilhelmine von Zenge.

Long voyage, commencé le 14 août, en compagnie de son ami Brockes. Ayant traversé Potsdam, Leipzig, Wittenberg, Dresde, ils se rendent à Wurzbourg. Dans ses lettres adressées à Wilhelmine, Kleist ne cesse de lui demander le secret sur ce voyage dont il promet de lui dévoiler le but plus tard ; ce but, répète-t-il, est leur bonheur : grâce au sacrifice qu'il consent pour elle, Wilhelmine pourra devenir mère. A Wurzbourg, il subit un traitement — « le jour le plus important de ma vie » — destiné, probablement, à guérir un phimosis ou, peut-être, une impuissance d'origine psychique.

Retour à Berlin le 27 octobre. Il commence à travailler au ministère de l'Economie.

**1801** : Kleist doute de son aptitude au service, et rêve d'une vie indépendante dans la Suisse française où il pourrait enseigner la langue et la philosophie allemandes.

En mars survient la « crise kantienne » : reconnaissance de l'inaptitude de la raison à accéder à la vérité, et, partant, de l'inutilité de toute formation scientifique. Tous les projets du jeune Kleist s'effondrent. Il entreprend un voyage, dans l'espoir de trouver un but à sa vie. Ulrike l'accompagne. Par Dresde, où il découvre la puissance de l'art, Leipzig, Göttingen, Cassel, Francfort-sur-le-Main, Mayence, Heidelberg, Strasbourg, il se rend à Paris (6 juillet) où tout lui déplaît, les œuvres d'art exceptées. Fin novembre, il retourne en Allemagne, mais pour repartir aussitôt pour la Suisse où il séjourne à Bâle, puis à Berne, fréquentant l'écrivain Zschokke et Ludwig Wieland, le fils de Christoph Martin. Il projette d'acheter une terre et de la cultiver. Wilhelmine refuse la vie paysanne.

**1802** (février) : Kleist séjourne à Thun.

A partir du 1er avril, il habite une maison de pêcheurs à l'île Delosea, y écrit *La Famille Ghonorez* qui deviendra *La Famille Schroffenstein*, commence *Robert Guiscard* et *La Cruche cassée*.

En mai, rupture définitive avec Wilhelmine.

Longue et grave maladie à Berne en juillet-août.

Retour en Allemagne, séjour à Iéna et à Weimar. Noël à Ossmannstedt chez Christoph Martin Wieland.

**1803** (début janvier-23 février) : séjour chez Wieland qui, prenant connaissance de *Robert Guiscard,* découvre le génie de Kleist. L'amour qu'il inspire à la jeune Luise Wieland (elle a quatorze ans) l'oblige à quitter Ossmannstedt.

Mars-avril : séjour à Dresde où il apprend l'art de déclamer.

Juillet-septembre : voyage en Suisse et en Italie.

Arrivé à Paris le 10 septembre, Kleist y brûle le manuscrit de *Robert Guiscard.* Désespéré, il essaie, par deux fois, de s'engager dans l'armée de Napoléon qui s'apprête à attaquer l'Angleterre. L'ambassadeur de Prusse le renvoie en Allemagne. A Mayence, il tombe gravement malade ; c'est une maladie « inconnue », probablement d'origine psychique.

**1804** (juin) : de Mayence, il part pour Berlin où il demande un emploi au service civil de l'Etat. Gualtieri, le frère de Marie von Kleist, épouse d'un cousin de Kleist, lui propose un poste d'attaché à l'Ambassade de Prusse de Madrid.

**1805** : travail au ministère des Finances, sous la direction de Stein zum Altenstein.

A partir de mai, travail et études d'économie à Königsberg où il revoit Wilhelmine von Zenge, épouse du professeur Krug.

**1806** (août) : demande d'un congé de six mois, pour raisons de santé.

14 octobre : Iéna. La cour se réfugie à Königsberg.

**1807** (début janvier) : Kleist se rend à Berlin d'où il veut aller à Dresde.

Soupçonné d'espionnage, il est arrêté par les Français le 30 janvier. Par Marbourg, Mayence et Besançon, il arrive le 5 mars au fort de Joux d'où il sera transféré à Châlons-sur-Marne le 11 avril.

Début mai, *Amphitryon* paraît à Dresde, avec une préface d'Adam Müller.

9 juillet : la paix de Tilsit. Libéré fin juillet, Kleist se

rend à Berlin, puis à Dresde où la société cultivée l'accueille avec enthousiasme.

Début décembre : achèvement de *Penthésilée*.

17 décembre : fondation de la revue *Phöbus* avec Adam Müller. Demandes de collaboration adressées à Goethe, Wieland, Jean-Paul, etc.

**1808** : onze numéros de *Phöbus* paraissent pendant l'année, chacun contenant plusieurs textes de Kleist.

2 mars : échec de la représentation de *La Cruche cassée* à Weimar, suivi de la brouille de Kleist avec Goethe.

Juillet : publication de *Penthésilée*.

Août : achèvement de *La Petite Catherine de Heilbronn*.

Décembre : achèvement de *La Bataille d'Arminius*.

**1809** (fin février) : publication du dernier numéro de *Phöbus*.

9 avril : mobilisation de la Prusse. Le 29 avril, Kleist quitte Dresde pour se rendre à Prague. Missions de reconnaissance en compagnie de Friedrich Christoph Dahlmann, le futur historien.

6 juillet : Wagram.

**1810** (mai) : Début de l'amitié avec Rahel Levin. Achèvement de *Michael Kohlhaas*.

Fin septembre : publication de *La Petite Catherine de Heilbronn* et du premier volume des *Récits*.

A partir du 1er octobre, Kleist rédige les *Berliner Abendblätter* où publieront, entre autres, Arnim, Brentano, Fouqué, Wilhelm Grimm.

**1811** (février) : publication de *La Cruche cassée*. On apprend que la pension que Kleist croyait recevoir de la Reine, doit venir d'une autre source (elle lui a été payée certainement par son amie Marie von Kleist).

30 mars : dernier numéro des *Berliner Abendblätter*.

Fin juin : achèvement du *Prince de Hombourg*.

Début août : publication du deuxième volume des *Récits*.

Début septembre, Kleist demande au roi sa réintégration dans l'armée. Le 18, il se rend à Francfort-sur-l'Oder, dans sa famille, avec l'intention de demander de l'argent pour son équipement d'officier, et il essuie une grave humiliation.

Le 20 novembre, Kleist et Henriette Vogel se rendent à l'auberge Neuer Krug à côté de Potsdam, envoient des lettres d'adieu, et le lendemain à 4 heures de l'après-midi ils meurent au bord du Wannsee.

**1821 :** Tieck édite les *Ecrits posthumes* de Kleist *(Le Prince de Hombourg, La Bataille d'Arminius).*

A.F.

## TABLE



GF Flammarion

08/10/141730-X-2008 – Impr. MAURY Imprimeur, 45330 Malesherbes.
N° d'édition L.01EHPNFG0586.C005. – Novembre 1990. – Printed in France.